この社会の歪《ゆが》みと希望

雨宮処凛×佐藤 優

第三文明社

まえがき

まず、自己紹介をしたい。

一九七五年生まれ、作家・活動家の雨宮処凛といいます。

二〇〇六年からこの国の貧困問題をテーマとして、取材、執筆、支援活動をしてきました。

と書いたところで「全然意味わかんない」という人もいるはずだ。たとえば〇八年末から〇九年の年明けにかけて、「年越し派遣村」があったことを覚えている人は多いだろう。アレだ。ああいう系だ。そしてコロナ禍《か》のいまは、「コロナで仕事を切られた」「ホームレスになった」という人たちの相談に乗り、使える制度を紹介したり、時に役所に同行したりして生活再建の手伝いをしている。

「それが仕事なの？」と聞かれるが、こっちはボランティアだ。では生計は何で立てているかと言えば、文筆業で食べている。貧困の現場の取材をして書いたり、女性や若い世代、自分と同世代のロスジェネ（就職氷河期世代。現在三十代後半から四十代後半を指す）の生きづらさも追い続けているテーマだ。新聞や雑誌をはじめとして十数本の連載を持っているが、佐藤さんの連載本数には到底及ばない（一体どうやったらあの原稿量を捌《さば》けるのか、対談で聞けばよかったといま、後悔している）。

ちなみに、一人暮らしで十六歳の美猫・ぱぴちゃんと同居中（もう一匹、つくしというデブでかわいい子がいたが、一九年にリンパ腫《しゅ》で亡くなった）。最終学歴は高卒。フリーターを経て、二十五歳でデビューして今年で二十一年。おそらく、佐藤さんと対談本を出した相手の中で私が「最低学歴」ではないだろうか。だとしたら、ちょっと自慢だ。

さて、佐藤さんと初めて出会ったのは、十年以上前のことで、当時から私は貧困問題に取り組んでいた。

そんな活動を佐藤さんは応援してくださり、いつもさまざまなアドバイスをくれる。

佐藤さんのアドバイスが貴重なのは、佐藤さん自身が外務省にいたからだ。「官僚はこう考える」「こういうふうに訴えると物事は動きやすい」というようなアドバイスは、私には想像もつかないものばかりでいつも目を開かされる。

そんな佐藤さんと、このたび、対談本を出した。

対談を重ねたのは、この国で新型コロナウイルスの感染が拡大していく中のことだ。前述したように、私は日々支援の現場にいて、状況が深刻になっていくのを肌で感じていた。

まずは二〇年三月、貧困問題に取り組む三十以上の団体によって「新型コロナ災害緊急アクション」が立ち上げられた。コロナ禍で困窮《こんきゅう》する人々が増えるだろうことを予測して何かできないかと急遽《きゅうきょ》結成されたのだが、四月に生活相談のメールフォームを開設したところ、いまに至るまで連日、SOSのメールが届き続けている。一年以上にわたってだ。

「所持金ゼロ円です」「もう四日間、何も食べていません」「お金もなく、死ぬか犯罪を犯すかしか考えられません」——。

多くが二十代、三十代の若い世代で、コロナによって非正規の仕事を切られた層だ。女性も二、三割いる。支援者たちは当人のもとに駆けつけ、緊急宿泊費と食費を渡す。聞き取りをして、後日、公的な支援につなぐという流れだ。二〇年四月から二一年一月までで、「新型コロナ災害緊急アクション」は千七百世帯に五千万円以上の給付をしている。原資は一般の人々から寄せられた寄付金だ。

このような活動をしていると、時々つらくなる。

最近も、住まいを失い、公園で寝泊まりしている外国人男性が何者かに襲撃されて重症を負ったという話を聞いた。その男性は救急車で病院に運ばれて一命をとりとめたものの、頭蓋骨陥没《ずがいこつかんぼつ》の重症。しかし、病院側は彼がホームレス状態であり、医療費が回収できないと判明すると、ありえない対応をした。応急処置をしただけで車に乗せ、彼がもといた公園のベンチに置き去りにしたのだ。

こんなことが、先進国と言われる日本で日常的に起きている。何も悪いことなんかしてないのに、あらゆるものを奪われ、尊厳を奪われる人たちの姿を目《ま》の当《あ》たりにしていると、「ひどい世界」を恨みそうにもなってくる。

そうしてもっとつらいのは、多くの人がこのような現実に無関心であるように思えることだ。コロナ禍で、どれほどの人たちが困窮に喘《あえ》いでいるか私たちは多くの政治家や省庁の人々に訴えている。何度も政府交渉を重ね、「一刻も早い対応を」と訴えている。しかし、現実は遅々として変わらない。これまで野宿生活の男性しか並ばなかったような炊き出しの行列にいまは若い女性や家族連れが食べ物を求めて並んでいるというのに、支援の現場は野戦病院のようだというのに、多くの政治家も官僚も、興味なんかないように見える。貧乏人がどれだけ死んでも構わない。そう思っているのではないかと勘ぐりたくなるほどに。

そんな中、佐藤さんは真剣に話を聞いてくれて、一緒に考えてくれる。そして心を痛めているのがわかる。「心を痛める」。この国の「偉い」とされている人たちがなかなかしないことではないかと思う。痛める前に、「自己責任では」としたり顔で言う人たちに慣れてしまった私は、佐藤さんが「優しい」ことに、出会った当初、戸惑いすら感じた。この人、すごく「偉い」はずなのに、いろんな「力」を持ってるはずなのに、どうしてこんなに優しいのだろう、と。どうして困窮者に心を寄せ、解決策をともに考えようとしてくれているのだろう、と。

佐藤さんが「弱い立場の人」への共感を当たり前に持っているのは、長い獄中生活のせいだろうか。

もう一つ、秘密は「猫」にあるかもしれない。

佐藤さんは誰もが知る愛猫家で、会うたびに「猫は元気ですか」と聞いてくれる。

そういえば以前、佐藤家の「デブ猫」（失礼）が載った写真集をいただいたこともある。

お返しに私は猫漫画の『俺、つしま』（小学館）をプレゼントした。

と、放っておいたら猫のことばかり書いてしまいそうなので、この辺で。

それでは、ここから佐藤さんとの対談が始まる。

ぜひ、最後まで楽しみつつ、お付き合いいただきたい。

雨宮処凛

この社会の歪みと希望

目次

第一章

コロナ禍が浮き彫りにした社会の歪み

コロナ禍が国家の力を強めた

佐藤優　最初の章では、二〇二〇年から現在まで世界を覆《おお》い尽くしている、「新型コロナウイルス感染症」をめぐって語りたいと思います。現時点でいまだ収束のめどが立たないコロナ禍《か》は、まさに世界史的事件であり、私たち二人にとっても強い関心を向けざるを得ないテーマですから。

雨宮処凛　そうですね。佐藤さんは昨年来、コロナ禍をテーマにした著書を何冊も出されていますし（『ウイルスと内向の時代』『新世紀「コロナ後」を生き抜く』など）、私は私で、（コロナウイルス対策の特別措置法に基づく）「緊急事態宣言」が出された二〇二〇年四月以降、コロナで困窮《こんきゅう》した人々の支援活動に取り組んできました。

佐藤　支援の取り組みとして、たとえばどういうことをしておられるのですか？

雨宮　生活や仕事についての電話相談を受ける「ホットライン」の相談員を務めたり、相談を寄せてきた人に付き添って生活再建のお手伝いをしたり……いろいろです。とにかく、ずっとコロナ禍支援の現場にいます。コロナ禍で「ステイホーム」が合言葉になりましたけど、帰るべき家さえ持てないホームレスやその予備軍が、確実に急増しているんです。

佐藤　そのあたりの話はあとでくわしく伺うとして、まずコロナ禍によって生じた枠組みの話をします。

　私は、コロナ禍には大別して四つの要素があると思っています。第一に、あたりまえのことですが、感染症の一種としての要素です。過去のペストや、日本でいえば大正時代に起きた「スペイン風邪《かぜ》」など、感染症のパンデミック（世界的流行）はくり返されてきたわけですが、コロナは感染症として見た場合、死者は比較的少ないまま終わると思う。

　ただ、その点だけを取り上げて「大したことがない」「風邪みたいなものだ」と見るのは、偏《かたよ》った見方だと思う。なぜなら、残り三つの要素と合わせて考える必要があるからです。

　残り三つというのは、国民への心理的影響、国際関係に与える影響、そして経済に与える影響です。それら四つの要素を総合的に考えれば、まぎれもない危機であり、日本にとっても国難と言えるでしょう。

雨宮　歴史上、終わらなかったパンデミックは一つもないわけですから、コロナ禍もいつか終わるのでしょう。でも、貧困問題に取り組む支援団体は、すでにコロナ禍でかなり疲弊《ひへい》していますね。どこもみんな野戦病院のようなありさまで、「一体この状態がいつまで続くんだろう？」という不安にかられています。

佐藤　たとえば、約百年前の「スペイン風邪」の場合、第一波から第三波まであって、収束までに二年以上かかっています。このコロナ禍も二年目に入ったわけですが、何とか今年のうちには収束のめどがついてほしいところですね。

　スペイン風邪の場合、第一次世界大戦中にパンデミックが起きたこともあって、兵隊たちが感染を拡大した面があるといわれています。

雨宮　軍隊は「三密」（密閉・密集・密接）にならざるを得ないですからね。

佐藤　ええ。皮肉なことに、各国で大量の死者が出たために徴兵できる成人男性が減ってしまい、そのことが大戦の終結を早めたともいわれています。それくらい、感染症のパンデミックは世界を変え、歴史の流れを変えるほどの影響力を持つわけです。

雨宮　今回のコロナ禍は、世界をどう変えると佐藤さんは思われますか？

佐藤　ものすごく広範な影響を及ぼすと思いますが、何よりもまず、国家の力を強める方向に変わると思います。

　たとえば、ＥＵ（欧州連合）は加盟国内なら人・モノ・金の移動が自由であり、国家の枠を超えてヨーロッパ全土を結ぶ巨大な共同体ですが、パンデミック禍では人の行き来を大幅に制限せざるを得ません。そうした事態が、ＥＵの理念すら揺るがせていると思います。かりにコロナ禍が収束したら元のＥＵに

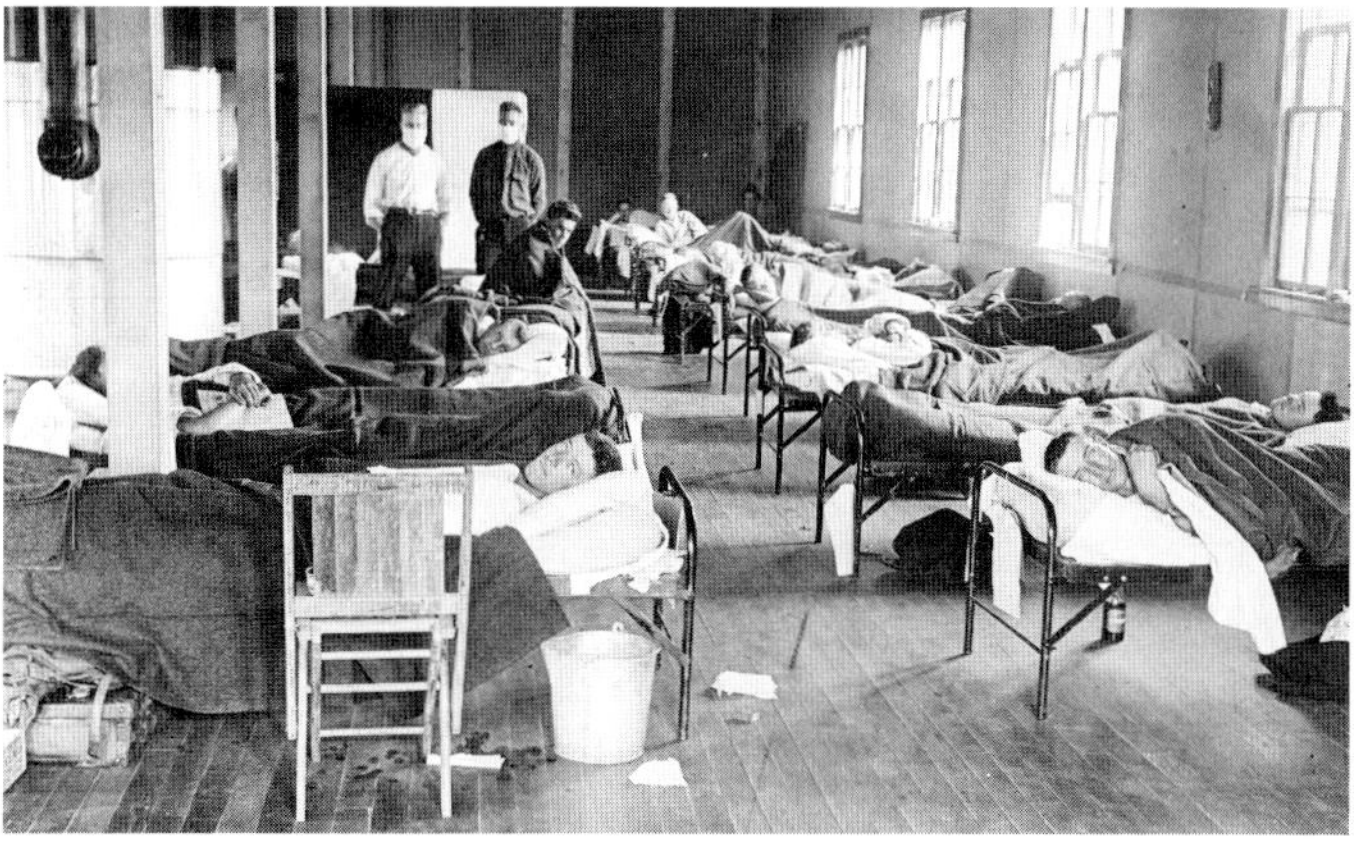

「スペイン風邪」患者が療養する病院の様子（1918年、アメリカ）。一説では全世界で約５億人が感染し、4000万人が死亡したといわれている　ⓒゲッティ＝共同

戻れるかといえば、そう単純なものではないような気がします。

雨宮　ずっと続いてきたグローバル化の流れに急ブレーキがかかる、と……。

佐藤　そう思います。たとえば、少し前にイスラエルの友人から電話がかかってきて、国民の雰囲気を聞いたところ、イスラエル国民は医療崩壊をすごく恐れていると言っていました。

　というのも、あの国では第二次大戦中のホロコーストの記憶がしっかり語り継がれているからです。かつての「ユダヤ人ゲットー」（強制的に住まわされた居住地区）の中では、閉じ込められたユダヤ人たちの間でチフスやコレラが爆発的に流行し、多くの命を奪いました。いわば、ゲットー内では医療崩壊が常態化していたのです。そのときの恐怖がまざまざと残っているので、感染爆発と医療崩壊にすごく神経を尖《とが》らせているんですね。

　イスラエルは世界で初めて二度目の全国的ロックダウン（都市封鎖）を行うなど、国を挙げて強制的なコロナ対策を行っています。私の友人によれば、病院と買い物はＯＫだけど、それ以外の外出は原則禁止で、街は閑散としていたといいます。そうしたことの背景には、戦時中の記憶がトラウマとなっている面があるわけです。

雨宮　イスラエルというと、常に外敵の攻撃に身構えている国という印象がありますが、パンデミックはある意味、〝ウイルスによる無差別テロ攻撃〟のようなものですからね。戦時に近い状況だからこそ、国が国民の行動を縛《しば》ることが許されるわけですね。

佐藤　ええ。日本の場合、強制的なロックダウンや罰則ではなく、国民への自粛《じしゅく》要請によるコロナ対策がメインですが、それは世界的に見ればかなり特異なのです。

　そして、世界的に国家の力が強まると、排外主義にも結びつきやすいし、マイナス面もかなりあると思います。本来であれば、コロナ禍に立ち向かうために、国家の枠を超えて世界中が一致団結して戦うべきときなのに、逆に各国が内向きに閉じざるを得ない状況ですから。

雨宮　国家の力が強まっていくと、国家主義的な動きにもつながりやすいですね。

佐藤　私もその危機感を感じています。何か一種の翼賛《よくさん》思想みたいなものが強まってきているような空気を感じますね。たとえば、コロナ対策として一律給付された、一人十万円の国の特別定額給付金について、ある地方の市が市職員全員に「寄付しろ」と言ったという話がありました。市側は「強制ではない」と弁明したんだけど、寄付というのは本来自分の意志でするものであって、それを上から「寄付しろ」と命じること自体が、何か翼賛思想的で不気味です。

じわじわと国家主義的な空気が強まってきている。コロナ対策には国が強制的にやらざるを得ない側面もあるけれど、それが常態化することでどんどん意識が麻痺《まひ》していって、おかしいことをおかしいと思えなくなる怖さがある。また、「権力の魔性《ましょう》」というものもありますからね。権力者がよかれと思ってやっていることが、だんだん常軌《じょうき》を逸《いっ》したものになっていく危険性がある。

国が強制力を発揮することが必要な局面はあるにせよ、民主主義原則と折り合いをつけておかないといけない。〝独裁という名前が使われない形での独裁体制〟になってしまいかねない。そういう問題意識を、いま私は持っています。

ともあれ、コロナによって世界がどう変わるかは、かなり複雑な連立方程式になってきていて、その後を予測することも一筋縄ではいきません。

さっきイスラエルの話をしたけど、イスラエルにはユヴァル・ノア・ハラリという有名な歴史学者がいるでしょ？

雨宮　『サピエンス全史』（河出書房新社）を書いた人ですか？

佐藤　そうです。そのハラリが『サピエンス全史』の次に出した著作が『ホモ・デウス』（同社刊）で、これは人類の未来を予測した本なんです。

その中でハラリは、〝人類は自分たちを苦しめ続けた三大災厄——飢《き》餓《が》・疫病《えきびょう》・戦争を克服しつつあるから、これから次のステージに向かう。それは不死と幸福と神性だ〟と主張しています。「ホモ・デウス」とは「神・人」という意味で、人類はこれから神になるという主張なのです。

でも、飢餓と戦争はともかく、疫病については克服したとはとても言えないことが、コロナ禍で露呈してしまいました。ハラリが『ホモ・デウス』で示した未来モデルは、成立しなくなってしまったのです。しかも、感染症がもたらす問題は、必ずしも感染症の致《ち》死《し》率《りつ》ではないことも明らかになった。

パンデミックは命を脅《おびや》かすだけではなく、我々の心を脅かすんですね。また、経済や国際関係にも多大な影響を与えるから、たとえ致死率が高くなかったとしても、ケタ違いのダメージを世界にもたらします。
ハラリはいま、六年前に書いた『ホモ・デウス』の内容を大幅に改稿したいと思っているかもしれません。疫病に対する自分の見方は甘すぎた、と……。

『ペスト』はコロナの予型論

雨宮　本の話で思い出しましたけど、フランスの作家アルベール・カミュの小説『ペスト』が、コロナ禍の中でベストセラーになって、大きな話題を呼びましたね。

佐藤　ええ。新潮文庫版の『ペスト』は、二〇二〇年だけでも三十六万四千部増刷したらしいです。『ペスト』の原書が発刊されたのは、戦後間もない一九四七年です。七十年以上前の小説が突然ベストセラーになるというのは異例ですね。
　私も、昨年『ペスト』を再読しました。これは周知のとおり、フランスの植民地だったアルジェリアのオラン市に疫病のペストが蔓延《まんえん》していくという物語です。いま読むと、カミュが物語の発端を「一九四＊年」と設定していることが、作品の大きなポイントです。

雨宮　はっきりさせずに、ぼかしているということですか？

佐藤　そう。そこに大きな意味がある。どういうことかというと、現実のフランスでは、一九四〇年から四四年まで、ナチスドイツ協力政権であった「ヴィシー政権」時代だったからです。そして、その時期に、ヴィシー政権に対抗するレジスタンスの拠点があったのが、『ペスト』の舞台であるアルジェリアだったのです。

一九四四年とか一九四六年などという明確な年を舞台にすると、レジスタンス闘争などの政治的文脈のほうが強まってしまう。だからこそ、カミュはそこをぼかして『ペスト』の物語を現実の政治から切り離した。そうすることによって、ある種の「寓話《ぐうわ》」として読めるようにしたわけです。

雨宮　なるほど。

佐藤　そして、寓話にしたからこそ、時代を超越してその時々の出来事と重ね合わせて読めるのです。『ペスト』が新潮文庫に入ったのは一九六九年で、日本で広く読まれ始めたのはそこからです。当時は学園紛争の時代だったから、多くの読者が、パンデミックで都市封鎖されたオラン市を、閉鎖されたキャンパスに重ね合わせて読んだのだと思います。とくに、全共闘運動に関わった学生たちはそうだったでしょう。
　そして、二〇二〇年においては、世界中で、コロナ禍で封鎖された都市と重ね合わせて読まれたわけです。『ペスト』を読むと、七十年以上前の小説とは思えないほど、現在の我々に近い心情が描かれています。まるで、神学の世界でいう「予型論」のように……。

雨宮　「よけいろん」？

佐藤　「予定の型」と書いて「予型」。「予型論的解釈――Typological interpretation」のことです。元々は、『新約聖書』の内容の「予型」が、『旧約聖書』の中にすでに書かれている、という意味合いで使われます。そこから転じて、ある古い宗教的テキストの中に、現在の出来事の「予型」を見いだしていくのが予型論です。
　もちろん『ペスト』は宗教的テキストではないけれど、現在のコロナ禍の予型がそこに見いだせるわけです。たとえば、ペスト禍によって封鎖されたオラン市の住民の心情を、カミュは「自宅への流刑」と表現しています。

雨宮　「自宅への流刑」！　緊急事態宣言が出た当時の私たちの気持ちと、見事に重なりますね。

佐藤　予型論はいわゆる「予言」のたぐいではなく、過去のテキストの中に「予型」を見いだす作業を通じて、現在直面している問題を解決する糸口を探そうとする知的営為《えいい》です。

雨宮　なるほど。コロナ禍の真っただ中で『ペスト』を読んでみようと多くの人が考えたわけですが、それは無意識のうちに、問題解決のヒントを探そうとしていたのかもしれませんね。

佐藤　そうですね。ついでに言うと、今年か来年くらいのいろいろな入学試験には、『ペスト』の問題が出る確率が上がると思う。感染症についての社会的関心の高まりは、入試の世界でも無視できないはずだから。大学入試などを控えている人は、その意味でも『ペスト』を読んでおくといいと思います。

コロナ禍は弱者を直撃している

佐藤　雨宮さんは、ずっとコロナで窮地《きゅうち》に陥《おちい》った人たちの支援活動をされているということですが、現場から見てどのような状況ですか？

雨宮　コロナ禍を受け、二〇二〇年三月に、貧困問題に取り組む三十以上の団体で「新型コロナ災害緊急アクション」というネットワークを立ち上げました。そこで四月からメールで相談を受け付けているのですが、連日ＳＯＳの声がまったく絶えません。現在まで、緊急アクションでは千七百以上の世帯に対応し、一般の人々から寄せられた寄付金から五千万円以上を給付している状態です。給付の中身は、公的支援につなぐまでの緊急宿泊費や食費です。特徴的なのは、弱い立場の人ほどコロナ禍の直撃を受けているということです。正社員よりは派遣社員、男性よりは女性というふうに……。

私は、十三年前、日比谷公園で開催された「年越し派遣村」の運動にも参加していました。当時はリーマン・ショックによる大量の派遣切りが横行していたころです。派遣切りされた人が年末で寮を追い出されるなどしていて、派遣村はそんな人たちのために炊き出しをし、野外のテントで共に年を越しました。二〇〇八年末から〇九年初頭にかけて開催された派遣村には、職も住まいも所持金も失った人たちが六日間で五百五人、来ました。なので、あのときのことといまをどうしても比較してしまうんです。

佐藤　年越し派遣村のときよりも、状況ははるかに深刻ですか？

年越し派遣村で炊き出しを受ける人たち（2008 年12 月）ⓒ共同通信社

雨宮　はい。あのとき集ってこられた人は、製造業の派遣労働者が中心でした。いまはもっと幅広い業種の人たちが相談に来ます。飲食、宿泊、観光、イベント関係……そのあたりはコロナの影響がストレートでわかりやすいですが、ほかにも、「ホテルに卸《おろ》していた食品会社が、ホテルの不振で仕事を失った」とか、「イベントが激減して警備の仕事がなくなった」とか、あらゆる業種に影響が及んでいます。

　また、派遣村の相談者はほとんどが男性でした。それに対して、相談者に女性が多いこともコロナ禍の特徴です。

佐藤　どうして今回は女性が多いのでしょう?

雨宮　コロナによって真っ先に打撃を受けた業種――観光・宿泊・飲食などのサービス業が、非正規雇用の女性に支えられているからだと思います。そもそも女性のほうが非正規雇用が多くて、働いている女性の半分以上は非正規ですから。そこをコロナが直撃したわけです。

　二〇年七月に出された数字ですが、前年の同月と比較して、非正規雇用者は百三十一万人減少しています。そのうち、五十万人が男性、八十一万人が女性です。

佐藤　女性のほうが三十万人も多い。

雨宮　はい。相談者に女性が多い理由がよくわかると思います。そして、相談に来る女性の多くが非正規です。

佐藤　どんな相談が多いですか？

雨宮　「派遣の仕事を切られた」、「休業補償《ほしょう》もないままバイトをクビになった」、「家賃をほんの少し滞納しただけでシェアハウスを追い出された」……いろいろです。シェアハウスをめぐるトラブルの相談は目立ちますね。

佐藤　シェアハウスというと、若者、とくに若い女性たちが気楽な共同生活をしているイメージもありますが……。

雨宮　たしかに、「女性専用」を謳《うた》っているシェアハウスも多いし、はた目には楽しそうに見えるかもしれません。でも実際には、入居者にすごく不利な契約になっているケースも多いんです。たとえば、たった一カ月家賃を滞納しただけで強制退去させられる契約になっていたり。

佐藤　一般的には、三カ月以上家賃を滞納しなければ強制退去にはなりませんよね？

雨宮　そうですね。あとは、退去するときに十万円とか、高い退去費を要求するシェアハウスもあったりします。

もちろん、悪質なシェアハウスばかりではありません。ただ、一部のシェアハウスが若い女性にとって「ホームレス化の入り口」になっているのも事実なのです。

佐藤　自分がホームレスになるなんて、想像したこともない若い女性が日本には多いでしょうね。

雨宮　そうですね。ただ、ホームレス化は意外に簡単に起こります。たとえばある労働組合の電話相談に相談してきた方の中には、離婚して家を出て、寮生活をしながらホテルで働いていた女性が、コロナ禍によるホテルの業績不振でクビを切られたケースがありました。

彼女はホテルを辞めれば寮からも追い出されるわけだし、離婚しているから帰る家もない。貯金があればいいけれど、なかったら最悪そのままホームレスということだってある。

昨年八月には、福岡で三十歳の女性が真珠販売店で現金を脅《おど》し取ろうとして恐喝《きょうかつ》未遂で逮捕されました。彼女はコロナでうどん店の仕事を失って、家賃を払えずに公園で寝泊まりし、「食べ物ください」と紙に書いて路上に立つこともあったようです。逮捕されたときの所持金はわずか二百五十七円。もちろん、恐喝は許されることではありませんが、彼女も一面ではコロナ禍の犠牲者なのです。犯罪に走る前に、困窮している彼女に手を差し伸べる人がいなかったのかと、胸が痛みます。

そのようにホームレスになってしまった女性や、ホームレス一歩手前の崖《がけ》っぷちの女性がたくさんいます。十三年前にはまだ表面化していなかった「女性のホームレス化」が、コロナ禍で進行しているんです。

佐藤　「進行」ということは、どんどん状況が悪化しているということですね。

雨宮　そうです。二〇年四月からの半年間に限っても、最初といまでは状況が目に見えて深刻化しています。

最初のころは「仕事がなくなって困っている」「家賃が払えない」などの相談が多かったのですが、五月の連休明けになると深刻な相談が増え、秋以降はさらに深刻度が一段階増しています。最近は、「仕事が減った」「お金がなくて困っている」というレベルではなく、生きるか死ぬかの瀬戸際の相談が多いのです。
具体的には、「所持金が尽きた。もう死ぬしかないでしょうか」とか、「路上生活になって一カ月。もう何日も何も食べていない」とか、「自殺しようと思って身分証も荷物も全部捨てたが、死にきれなくてメールしました」……そういった相談なのです。

佐藤　二〇二〇年は女性の自殺が増えたというニュースがありました。

雨宮　そうなんです。たとえば、二〇年八月の自殺者が千九百人を超えていましたが、前年の同月と比べると男性は百十四人増、女性は二百十四人増でした。女性のほうが際立って多かったのです。
二カ月後の十月の自殺者はさらに増えて、二千二百三十人。そして、そのうち八百八十九人が女性でした。前年同月比で、女性の自殺者は九〇・八パーセントも増えてしまったんです。何とも痛ましい数字ですが、それはコロナ禍による女性たちの貧困化の進行と密接に関連していると思います。

佐藤　貧困層に占める女性の比率が高く深刻になっている状況のことを「貧困の女性化」と言いますが、それは日本社会にとくに顕著《けんちょ》だと言われていますね。

雨宮　そうなんです。日本では「子どもの貧困」も深刻ですが、女性や子ども、非正規といった弱者ほど、コロナ禍の深刻な影響を受けているという現実があります。

　コロナ禍以降、多くの生活困窮者の話を聞いて公的支援につなげてきましたが、その中で驚いたのは、「リーマン・ショックのときにもホームレスになった」とか、「3・11（東日本大震災）のときにも、被災地ではないけど客が激減して、店をクビになって寮を追い出された」という人が少なくなかったことです。つまり、日本には本当にギリギリのラインで生活をしている人がたくさんいて、経済危機とか災害が起きるたびに、生活を根こそぎ破壊されてホームレス化する層がいるのです。

佐藤　年越し派遣村で〝村長〟を務めた湯浅誠さん（社会活動家／東京大学特任教授）の言う、「溜《た》め」のない状態ですね。貯金などの経済的な「溜め」も、頼れる家族や友人などの人間関係の「溜め」もないから、一つのきっかけでギリギリの貧困状態にまでなってしまう。

雨宮　そうですね。貯蓄ゼロ世帯も増え続けていますし……。たとえば、二〇一二年には単身の貯蓄ゼロ世帯は三三・八パーセントでしたが、五年後の一七年には四六・

四パーセントまで増えました。
　ましてや、コロナで困窮に陥った人たちとなると、貯金ゼロどころか所持金がゼロに近い人が多いのです。二〇二〇年四月から、二カ月ごとに弁護士や司法書士、社会福祉士や支援者などで「コロナ災害を乗り越える　いのちとくらしを守る　なんでも電話相談会」を開催していて、私も相談員をしているのですが、たとえば八月の相談内容を「貧困研究会」が分析すると、相談してきた人たちの預貯金額の中央値は十万円でした。その人たちに、二〇二〇年二月と比較してどれくらい月収が減ったかを聞いたところ、派遣社員で平均九万二千円のマイナスでした。
　国税庁の調査によれば、非正規労働者の平均年収は百七十九万円ですから、月収にならせば十五万円程度です。十五万円の月収が九万二千円減れば、五万八千円になってしまいます。

佐藤　とても暮らしていける金額ではありませんね。

雨宮　それから、コロナ禍で始まったテレワーク（在宅勤務）でも、非正規差別があちこちで見られました。正社員だけテレワークになって、派遣だけが出社させられているとか。

佐藤　感染リスクを派遣社員だけに背負わせているわけですね。

雨宮　そうです。あとは正社員には休業手当が出るものの、非正規にはゼロという待遇格差もよく聞きます。

資本主義のいちばん醜い部分

佐藤　でも、そういう状況がある一方で、「コロナ禍で大儲《おおもう》けできそうだ」と喜んでいる企業経営者もいるんです。

雨宮　えっ、そうなんですか⁉　コロナ禍で有利になるなんて、マスクのメーカーとか医療機器の企業くらいしか思い浮かびませんけど……。

佐藤　社名は差し控えますが、ある有名企業の社長さんから、「うちは自己資金が潤《じゅん》沢《たく》にあるし、無借金経営だから、コロナ禍は大チャンスだ」という話を聞きました。「これで土地や建物の値も下がる。下がった時期にうちの会社で買っておけば、あとで値が戻ったときに大儲けだ。しかも、基盤の脆弱《ぜいじゃく》なライバル企業がコロナでつぶれれば、うちの一人勝ちだ」と……。

雨宮　それは怖い発言ですね……。というか、コロナ禍で苦しんでいる人たちを日々見ている私には、ちょっと許しがたい気が。

佐藤　マルクスも『資本論』で予見していたとおり、資本主義というのは突きつめればそこまで行くわけですよ。コロナ禍によって、我々は資本主義のいちばん醜《みにく》い部分にも直面しているわけです。元々格差が拡大傾向にあった日本で、コロナ禍がその格差をさらに広げてしまった面がある。

雨宮　そうですね。ホームレス手前まで追いつめられている人たちがいる一方で、「コロナは大チャンス」とか言っている企業経営者がいるのですから。

佐藤　コロナ禍を機に一気に広がったテレワークの動きも、一面では格差拡大につながっていると思います。というのも、テレワークは社員が働いている姿が直接見えないだけに、極端な成果主義に陥りやすい。どんな成果を挙げてくるかで評価するしかなくなるからです。

そして、テレワークで成果主義が加速すれば、雇用も流動化して、従来の新卒一括採用をやめて、通年採用に変える会社も増えるでしょう。通年採用は言葉を換えれば「ジョブ型雇用」（仕事に対して人材を割り当てていく形の雇用）で、企業が社員を育てるのではなく、即戦力を求めるタイプの雇用です。

裏返して言えば、即戦力として評価されるスキルを何も持っていない人は、非正規雇用で働く以外に選択肢がなくなってくる。そして、非正規の職場は多くの場合短期間で変わるし、しっかりしたスキルは身につかないから、その悪循環の中でずっと非正規のままになってしまいがちです。その意味でも、コロナ禍によるテレワーク化は格差拡大につながると思います。

雨宮　ただ、コロナ禍で苦労しているのは派遣ばかりではなく、正社員も厳しい状況です。たとえばここ数年、副業禁止だった企業が副業ＯＫに変わる流れがありますよね。それは人によってはいいことなんだけど、一面では格差拡大の末路という気もします。副業ＯＫにしないとやっていけないほど、正社員でも賃金が安くなっているということだと思うので……。

佐藤　それもたしかにあると思う。

雨宮　そういう末期的な状況を浮き彫りにした出来事がコロナ禍の初期のころ、立て続けにありました。というのも、コロナに感染するとその人の行動が全部調べられてしまうので、こっそり副業をしていたのがバレてしまうケースがあるからです。

一つは、コロナに感染した六十代の男性会社員が、コンビニでアルバイトをしていたのがバレたケースです。年越し派遣村のころにはまだ、六十代の正社員がコンビニでアルバイトしないと生活できないということは、あまりなかったように思います。私はニュースを聞いてびっくりしました。

もう一つ、正社員の仕事をしながらマクドナルドでアルバイトをしていた女性が、コロナにかかっていたケースもありました。立て続けにそういうことがあると、「いまの日本は正社員でも生活が苦しい人が多いんだ」と気づいて、何だか憂鬱《ゆううつ》になります。

日本も「行き過ぎた資本主義」？

佐藤　コロナ禍の初期のころ、七十代のタクシー運転手がコロナに感染したことがあったじゃないですか。あのときに海外では、「日本では七十代の老人がタクシードライバーをしているのか？」とみんな驚いたらしいですね。

雨宮　そういえば最近、私の知人がオーストリアのウィーンから帰国して、驚いていましたね。その人は日本人ですけど、「しばらく帰らない間に、日本は老人虐待《ぎゃくたい》の国になった」と言って……。

　何かと思えば、成田空港から都内の自宅に着くまでに、お年寄りがコンビニで店員をしていたり、道路の警備員をしていたり、清掃の仕事をしていたりすることに驚いたというんです。

佐藤　昔はあまりなかった光景かもしれませんね。それは老人虐待というより、日本社会が高齢化したことの反映でしょうけど。

雨宮　「こんなこと、ウィーンではあり得ない！」と言っていましたね。たしかにそうだろうなあと思いました。

佐藤　でもそれは、年金制度の建て付けがヨーロッパと日本では違うというだけだと思う。日本の場合には、そもそも年金制度自体が、子どもの仕送りがあることを前提として組み立てられているようなところがあるから。

雨宮　しかも、持ち家で家賃はいらないことも前提みたいな感じですよね。

佐藤　そうそう。ところが、いまは子ども世代もなかなか親に仕送りするだけの余裕がないし、持ち家のない人も多い。だから高齢の親が働くしかないんですね。年金だけでは暮らせないケースが多いから。

雨宮　じゃあ、ヨーロッパの公的年金はもっと多いんですね。いくらぐらいもらっているんですか？

佐藤　国によって違うけど、だいたい、現役時代の収入の六割から八割くらいだと思う。

雨宮　ええっ！　それは多い。私なんか国民年金だけだから、支給年齢になっても月三万円ぐらいですよ、もらえるの。

佐藤　払ってきた期間が短いんですか？

雨宮　いやいや、二十歳からフルで払っていますよ。それでも、「ねんきん特別便」（社会保険庁が公的年金加入者と年金受給者に発送している通知書）に月三万円と書いてありました。正社員経験がなく、フリーターから物書きになったのでずっと国民年金です。

佐藤　六十歳まで払えば、月六万円にはなりますから。

雨宮　六万円……。何の慰《なぐさ》めにもならない（笑）。

佐藤　ただ、そのころには支給開始年齢が七十五歳くらいに上がっているかもしれないけど。

雨宮　うーん……。私も高齢者になっても働き続けないといけないですね。

佐藤　そういえば、金敬哲《キム・キョンチョル》さんという韓国の女性ジャーナリストの著書に、『韓国行き過ぎた資本主義』（講談社現代新書）というのがあって。

雨宮　あっ、それ私も読みました。

佐藤　あの本は、日本社会の未来を先取りしているかもしれません。たとえば、〝社会保障が脆弱で、老人貧困率が四五パーセント（ＯＥＣＤ加盟国で最も高い）。定年退職後、約二十年も非正規で働き続ける（平均引退年齢七十三歳）〟というところとか。

雨宮　高齢者が非正規雇用で警備をしたり、タクシードライバーをしたり、廃品回収業をしたりといった例が出てきましたね。

佐藤　しかも、『朝鮮日報』が韓国の高齢者夫婦に必要な老後資金を試算してみたら、平均余命までに必要な生活資金が日本円で約三千万円足りないという結果になったそうです。

雨宮　日本では「老後資金が二千万円足りない」という金融庁の試算が二〇一九年に大きな話題になりましたけど、日本より韓国のほうが一千万円も多いんですね。

佐藤　それは日本より韓国のほうが、公的年金制度の導入が遅かったためです。韓国で公的年金が始まったのは一九八八年で、国民全員が対象になったのは九九年ですから。

その上、若者世代の老人嫌悪《けんお》と老人虐待の傾向が進んでいるそうです。

雨宮　「韓国は儒教精神が定着しているから、年長者を敬《うやま》う傾向が強くて、老人が幸せな社会だ」と、昔はよく言われたものですけど、いまは逆なんですかね。

佐藤　韓国の経済成長が鈍化して、若者世代にそのしわ寄せがいっていることが老人嫌悪につながっていると、金敬哲さんは分析しています。

でも、そういう韓国の現状は、日本の近い将来でもあるような気がします。『韓国行き過ぎた資本主義』を鈴木宗男さん（参議院議員）に贈呈したら、「佐藤さん、あの本に書かれていることはもう日本にもあるぞ。駅の券売機の前でお年寄りが買い方がわからず立ち尽くしていると、後ろに並んだ若者があからさまに舌打ちしているよ」と言っていましたね。

雨宮　うーん……。そういう世代間の分断は悲しいことですが、コロナ禍で加速するかもしれませんね。

佐藤　その意味では、コロナ禍は日本社会が孕《はら》んでいた問題点をむき出しにしたし、加速させた気がしますね。

コロナ禍の困窮者をどう助けるべきか

佐藤　支援の現場では、コロナ禍の困窮者を助けるために、どのような取り組みをしているのですか？

雨宮　実際に支援者が困っている人のもとに駆けつける以外では、たとえば、すでにあるさまざまな制度について、「コロナ禍という非常事態なんだから、もう少し間口を広げてくれませんか？」と訴えていくという取り組みがあります。

たとえば、住居を失ったときや失いそうになったときに使える「住居確保給付金」という制度があって、家賃を給付してくれます。ただ、それは給付条件がすごく厳しいんです。元々は離職者に限るとか、六十五歳以下に限るとか、ハローワークで求職活動をしなければいけないとか。でも、これだとコロナで仕事が減ったミュージシャンは使えない。ミュージシャンを廃業して職探しをしないといけないからです。こういう厳しい条件に対して声を上げていった結果、かなり緩和《かんわ》され、給付期間も延長されました。
また、「求職者支援制度」といって、働きながら十万円ほどもらえる制度もありますが、これも月収八万円以下じゃないとダメとか、職業訓練の出席率が八割以上じゃないとおりないとか、異様なほど条件が厳しいんです。

佐藤　なるほど。使える公的支援は生活保護以外にもいろいろあるのに、条件が厳しすぎて使いにくいと。

雨宮　はい。それをもう少し緩《ゆる》めるだけで助かる人も大幅に増えるはずなので、支援団体ではそういうことにも声を上げています。あとは、やっぱり困窮者を助けるのにいちばん使えるのは生活保護なので、受給をサポートするために申請同行もよくやっていますし、生活保護受給の基準を緩くしてほしいと要望する取り組みもしています。

佐藤　生活保護については、いろいろ間違ったイメージも広まっていますね。

雨宮　そうなんです。たとえば、「持ち家があったり、自家用車を持っていたら生活保護は受けられない」と思い込んでいる人も多いですが、そうとも限らないんです。持ち家でも物件が二千数百万円以下であれば受けられるし、自家用車もそれを持つことが必要と認められれば受けられるんです。私たちはその点をさらに推し進めて、「持ち家の資産価値が高くても、現実問題としていまは困窮しているのだから、生活保護を出してくれ」とか、運用を緩やかにしてもらうように厚生労働省にも働きかけています。

佐藤　困窮している人たちは、「情報弱者」でもある場合が多いですよね。使える支援制度があっても知らなければ活用できないし、正しい情報を伝えてあげたり、困窮者を支援の現場につなげてあげたりすること自体も、支援の取り組みとして大きいのでしょうね。

雨宮　そうですね。コロナ禍で困窮に陥った人の中には、「自分が生活保護などの公的支援を受ける立場になるなんて、考えたこともない」という人も多いんです。「自分はお金持ちではないけど、まあ中間層だな」という意識だった人が、コロナであっという間に借金まみれになり、路上生活になってしまう。実際、イベント系の会社をしていた経営者とか飲食店を自分でやっていた人で、ホームレス化した人の相談も受けてきました。でも、彼らは自分が支援を受ける立場になるなんて考えたことがないから、公的支援についての情報も知らないんですね。その人たちが情報にたどりつくまでが結構大変なんです。

あと、情報ということでいえば、いまの時代は携帯がないとあらゆる情報が入らないし、支援団体への連絡もメールが多いので、「携帯は命綱《いのちづな》」だと感じています。

でも、いま、「新型コロナ災害緊急アクション」に連絡してくる人たちの半数は、携帯が止まっているか、近々止まるという状態。せっかく連絡が取れても、スマホの充電切れで連絡が途絶えてしまうこともあります。

佐藤　ただ、一人の人ができることは限られているから、どうネットワークしていくかが重要ですね。雨宮さんがどんなに頑張っても、一度に五人はサポートできないでしょう?

雨宮　無理ですね。二〇二〇年の四月から、主に数人の支援者がフル稼働して「所持金ゼロ円」などの人の元に連日駆けつけている状態ですが、過労死が心配になるほどです。でも、心強い動きもあります。全国で二百人くらいの地方議員によって「コロナ災害対策自治体議員の会」が結成されました。そういう人たちが生活保護申請などに同行してくれていて本当にありがたいです。

佐藤　素晴らしいですね。

雨宮　区議会議員が生活保護申請に同行してくれたら、無下《むげ》に追い返されることはまずないと思うので、その意味でもありがたいです。

佐藤　一時期社会問題になった、生活保護申請の「水際作戦」（申請に訪れた市民を、役所側が不当に追い返すこと）は、まだあるんですね。

雨宮　地域によりますが、残念ながらコロナ禍で耳にしますね。というのも、コロナ禍が始まってすぐの二〇二〇年四月には、生活保護申請が前年同月比で二五パーセント増えました。東京二十三区では四〇パーセント増です。コロナ以前から人手不足の福祉事務所に人が殺到したんですが、当時、役所では三割の職員がテレワークというところが多かったようです。こうなると大変ですよね。とても対応しきれず、その中で水際作戦も起きていました。

佐藤　役所自体が三密になっているわけね。

雨宮　でも、そういう中でも、区議会議員が同行してくれて助かったこともありました。

佐藤　東京都は比較的財政基盤が強いからまだしもだけど、地方では生活保護の水際作戦がもっと増えているかもしれない。

雨宮　それは私も思いました。「コロナ災害対策自治体議員の会」は、やっぱり首都圏の議員が中心なので、こういう動きがもっと全国に広がったら、それだけでかなりの命を救えるはずです。

佐藤　コロナ困窮者の支援は、まさに「命を救う作業」ですよね。「コロナにかかって死ぬよりも、経済的に追いつめられて死ぬリスクのほうが高い」とも言われているとおり……。

雨宮　そうなんですよ。だから、ある意味で地方議員にとってはいまこそアピールのしどきというか、こんなにも地方議員が活躍できる局面って、ほかにあまりないと思うんですね。このコロナ禍が収束したあと、「あなたは議員として、コロナ禍のときに何をしたのか？」が厳しく問われると思うし。それは国会議員も同じですけど、地方議員は地域に密着している存在だけに、なおさらです。あとは水際作戦が起きないように、役所の人手を増やしてほしいです。

ネットカフェ難民の「天国と地獄」

佐藤　雨宮さんは、ネットカフェ難民の支援もずっとされてきましたね。ネットカフェ自体が「三密」環境で、クラスター（感染者の集団）発生源になりかねないから、コロナ禍ではネットカフェにも泊まれなくなって、大変な状況があると思います。そのあたりの話を聞かせてもらえますか。

雨宮　はい。東京都の調査によれば、都内にはネットカフェ難民が約四千人いるとされています。「緊急事態宣言」が出てネットカフェが休業要請の対象となったとき、その四千人が行き場をなくしたわけです。

　そういう危機的状況に陥ることは緊急事態宣言の前からわかっていたので、私たち支援団体は、「泊まる場所を失うネットカフェ生活者の受け皿になる宿泊施設を、行政で用意してほしい」と要望していました。

佐藤　それは用意されたんですか？

雨宮　（二〇二〇年）四月六日に東京の小池（百合子）都知事が「ホテルを百室確保した」と言ったんですが、四千人で百室では全然足りないので、「もっと用意してほしい」と要求して、結局二千室確保されました。

佐藤　それでもネットカフェ難民の推定人数の半分ですね。

雨宮　ええ。それで私も、ネットカフェ閉鎖で行き場をなくした人に同行して、ホテルに宿泊するための手続きに赴《おもむ》きました。「ＴＯＫＹＯチャレンジネット」という、都が用意したサポート窓口に向かったんです。

　私が同行したのは三十八歳の男性で、日雇い派遣で働きながら、東京某所のネットカフェで半年間暮らしていたという人でした。かりに「Ａさん」としましょうか。

佐藤　そのネットカフェだと、一泊いくらくらいなんですか？

雨宮　そこは一泊十二時間で二千円でした。シャワーも無料で使えて、食事も卵かけご飯なんかが無料で自由に食べられるということです。ちゃんとした個室ではないし狭いですけど、カプセルホテルなどよりは安く泊まれるわけです。

佐藤　Aさんはどういう仕事をしていましたか？

雨宮　日雇い派遣で、冷凍食品の仕分けです。マイナス三〇度にもなる寒い倉庫の中で、ずっと仕分けを続けるという過酷《かこく》な仕事で、日給七千八百円だったそうです。そこから交通費が引かれます。そんな大変な仕事でさえ、コロナ禍で飲食業などのほかの仕事を失った人が殺到して、倍率がすごく高くなってしまって、Aさんはまったく入れなくなったそうです。そんな状況の中でネットカフェが閉鎖されてしまって、住む場所もなくしたのです。私が初めて会ったとき、彼の所持金はたった十三円でした。

佐藤　そういえば、雨宮さんが書かれた記事でAさんのことを読みました。「所持金十三円」というのがすごく印象に残っていました。

雨宮　で、チャレンジネットに申し込みをして、その日と翌日は都が用意したビジネスホテルに泊まることができたんです。チャレンジネットでは「ネットカフェで暮らすようになるまで住んでいた北区で、生活保護申請をして」と言われて、申請に私も同行しました。その北区の区議会議員さんにも同行してもらって、すんなり申請が通りました。それと同時に、「すぐにはアパートに入れないから、しばらくの間、東京都が確保しているホテルに泊まれるようにしてください」と交渉をして……。

佐藤　泊まれるようになったんですか？

雨宮　はい。区議が一緒に行ったのもよかったんだと思います。Aさんは結局、五月の頭までそのホテルに無料で泊まれて、その間にアパートを探しに歩きました。生活保護費からは「転宅費」といって、アパートの敷金などの初期費用も出してもらえるんですね。そのおかげで、Aさんはアパートを借り、生活再建の第一歩を踏み出すことができました。

佐藤　それは、すごく恵まれたケースじゃないですか？

雨宮　そうですね。北区の対応がたまたますごくよかったんですね。Aさんのケースは、いわば「ネットカフェ難民の天国コース」だったと思います。

佐藤　「地獄コース」もあるわけですね。

雨宮　はい。東京二十三区の中でも北区のように対応がよい区もあれば、塩対応（そっけない対応）の区もありました。

区名は控えますが、ほかの区に一人で生活保護申請に行ったネットカフェ生活者の場合、申請は通ったものの、ホテルの個室ではなく、大部屋・相部屋の施設に入れられたケースも多かったのです。

佐藤　三密を避けてネットカフェを閉鎖したのに、受け皿の宿泊施設が三密では意味がないですね。

雨宮　そうなんですよ。三密であるだけじゃなくて、いわゆる「貧困ビジネス」で使われるような劣悪な施設もありました。六畳の部屋に二段ベッドが二つ置かれていて四人部屋みたいな……。それが「地獄コース」ですね。それで生活保護費が支給されても、その施設の家賃や食費で引かれて手元に残るのは、携帯代を払えば数千円、というケースの人も何人もいました。

首都圏では、神奈川・埼玉・千葉のネットカフェ生活者対応もひどくて。埼玉の施設は相部屋。千葉は、ネットカフェが休業したのに受け皿になる宿泊施設すら用意しませんでした。それで、私たちの運動仲間が千葉県側に要望して、やっと施設は用意されたものの、それがすごい僻地《へきち》にあって、しかも相部屋でした。

神奈川は、「神奈川県立武道館」という体育館をネットカフェ生活者のために開放したんです。でも、体育館だからやっぱり相部屋。仕切りとカーテンはあったんですが、上は開放されているので感染対策になりません。四月でまだ寒い日も多かったのに、暖房もない。で、担架《たんか》みたいな簡易ベッドに一人当たり毛布三枚が支給されて、七十人が入っていました。その一割は女性でした。女性は別室でしたが。

佐藤　うーん、それはひどいな。冷暖房なしで寝具が毛布だけって、それは刑事収容施設並みの待遇ですよ。毛布三枚というのは、拘置所と同じ基準なんです。私が勾留されていた東京拘置所では夏は

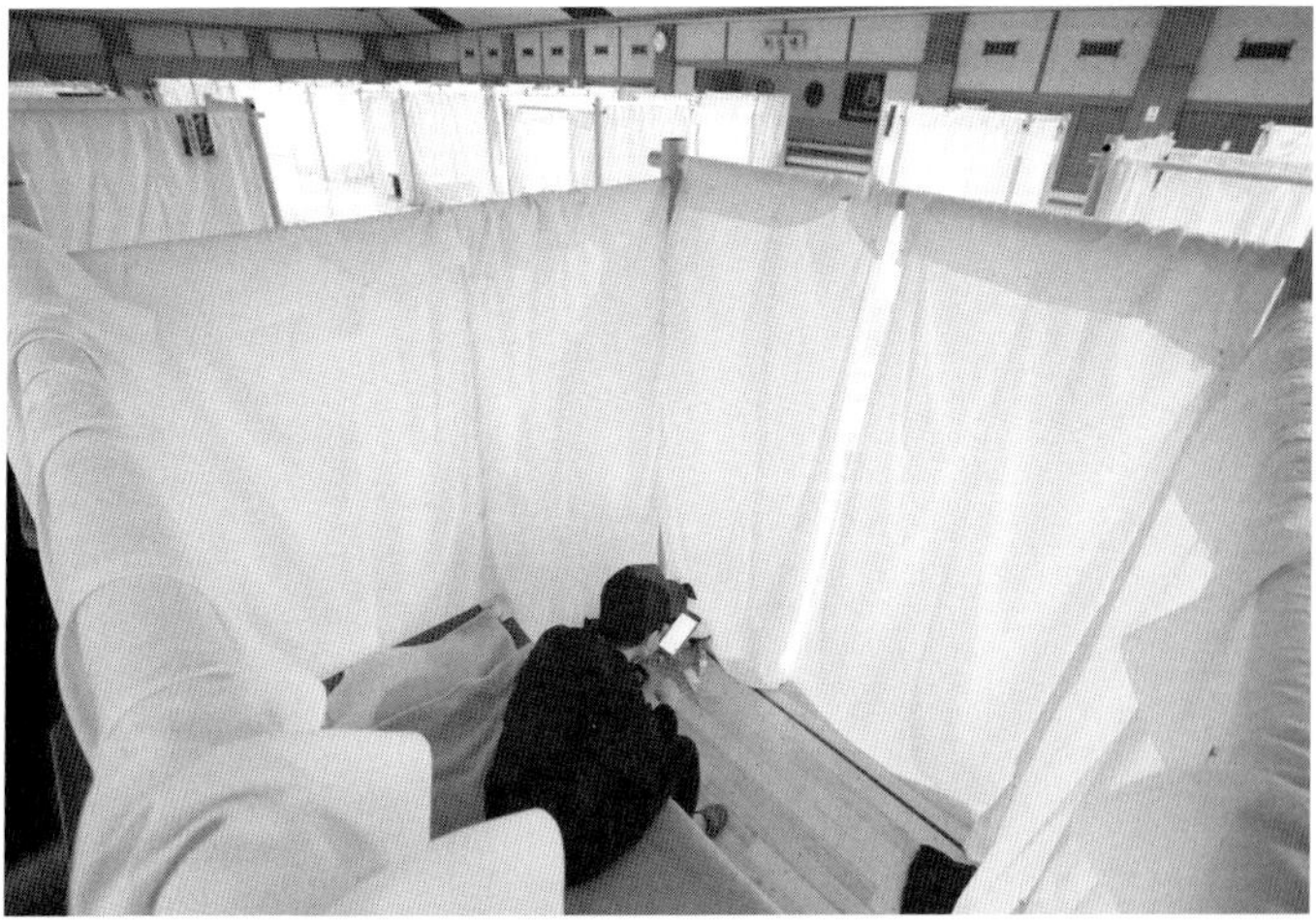

ネットカフェなどの休業で居場所を失った人たちへ一時的に開放された神奈川県立武道館（2020 年 4 月）ⓒ共同通信社

毛布二枚で、冬場には三枚になる。

雨宮　神奈川県立武道館では、最初は一人毛布二枚だったらしいです。寒いということで、あとから三枚に増えた。

佐藤　じゃあ拘置所以下だ（笑）。

雨宮　しかも、武道館では集まったネットカフェ生活者に対して食事提供もまったくなくて、水しかなかったんです。それに、そこに来ている人の所持金の確認もしないし、生活保護が必要なのかとかの聞き取りもまったくされていませんでした。ただ寝《ね》床《どこ》を与えるだけという感じです。

あの体育館で餓死者が出ていても不思議じゃなかったと思います。

佐藤　雨宮さんたちのような支援団体の側から、改善の申し入れはしたんでしょう？

雨宮　しました。でも、支援団体の人間を体育館の中にすら入れてくれないし、役所側の対応もすごく頑《かたく》なでしたね。「あの人たち、昼間は仕事に行っていますから」とか言って。中にはその体育館から日雇い派遣に出かけていた人もいたかもしれないけど、それはごく一部だったはずです。

佐藤　これは県がやっていた事業ですか？

雨宮　はい、神奈川県です。

佐藤　私は役人だったからわかるけど、おそらく「二重行政」の問題点が出ちゃったケースですよ。県と市町村のね。

そういう場合、県側と市町村側の間に「権限争議《けんげんそうぎ》」というのが起きがちなんです。「ここは俺たちに仕事をやらせろ」と主張し合うのが「積極的権限争議」で、「それはあなたの仕事でしょう」と互いに押し付け合うのが「消極的権限争議」です。

コロナ禍のような前例のない非常時になると、どの役所も守りの姿勢に入るから、消極的権限争議が起きやすいんです。だから、県がやっている事業には市や区は関わろうとしない。「ああ、それは県がやっていることだから、うちには関係ありません」と……。

雨宮　そういう状態だったのかもしれません。「どう考えてもおかしいだろ」という状況だったのに、支援団体が改善を申し入れてものれんに腕押しでした。

佐藤　そういう場合は、上からやらないとダメですね。黒岩（祐治）県知事の見解を求めたほうがよかったと思う。正攻法で面会を求めるだけじゃなくて、やりようはいろいろあるんですよ。県庁の前に詰めて、模造紙に大きく主張を書いて貼っておいて、知事がそこを通ったら嫌でも見えるようにして、その上で声をかけるとか。あるいは、知事に電報を打つとか。

とにかく知事と直接コンタクトを取ることです。その場合、政治家に対する性悪説をとらないで、とにかくトライしてみることが大事です。下のほうの役人に要望を出しても、あの人たちは権限がないから自分の裁量では動けないので。

雨宮　なるほど。

佐藤　そういうときこそ「政治の力」を活用すべきなんです。県の職員は、市議や区議が要望しても動かないんです。自分たちの人事や評価に影響がないから。ましてや、ＮＰＯの要望だけで動くこともあまりない。ヘタに動いて問題になったら困るから。

県の事業であれば、県知事か県議に働きかけるか、そこを選挙区にしている国会議員に働きかけること。これが大事です。

雨宮　これからはそうします。

佐藤　いまの雨宮さんの話を聞いていて思ったけど、現場の役人だって心の中では「この対応はひどい」とは感じているはずです。公務員になるような人は、基本的には人間性のよい人が多いし、お金のことしか頭にないようなタイプでもないんです。そういう人はそもそも公務員にならないから（笑）。でも、立場上あの人たちは動けない。だから、動かざるを得ない状況にしてあげることが必要なんです。

雨宮　「役人はすでに決まったことについては基本的に動けない」というのは、私もこのネットカフェ生活者の受け皿をめぐる問題で痛感しました。

「同じようにチャレンジネットに行って生活保護申請をした人が、一方ではビジネスホテルに泊まれて、一方では相部屋・大部屋というのはおかしい」と、東京都に文句を言ったんですね。「相部屋ではクラスターが発生しかねないから、『個室に案内する』という運用に変えてくれ」と……。そうしたら、「厚生労働省が出している通知が元だから、厚労省が変えない限り、都としても変えられません」という返答でした。まさに佐藤さんの言われる「二重行政の問題点」ですね。

　それで、日本共産党の都議団にお願いしたり、共産党の国会議員にも電話してもらったりしたんだけど、いろんなところに働きかけてもなかなか動きませんでした。

佐藤　それはね、率直に言うけれども、野党からやっても動かないんですよ。役所というのは野党に対しては防衛的になるから。そういう場合は与党ライン――いまなら自民党か公明党からやらないと動かない。

なぜかというと、普段のルーティンを曲げる行為については、役人がリスクを負うからです。与党からの強い要望があって、「これは、リスクを負ってでもルーティンを曲げないと、わが身を守れないな」という危機感を感じて初めて、彼らはリスクを負う覚悟をしてくれるわけです。

雨宮　生々しいですね。

佐藤　役人の内在的論理とはそういうものです。彼らが公明党や自民党におもねっているということではなく、役人というのは法・規則の枠内で自分の裁量権の範囲内のことしかやらないように徹底的に訓練されているからです。いま雨宮さんが言っていた要望に応えるのは裁量権を超える話だから、基本的に動けないんです。

雨宮　それで、ネットカフェ生活者の受け皿についてはどうしたかというと、結局、厚生労働省に直接申し入れをしたんです。そうしたら、少しして、厚労省が「個室に案内するように」という通知を出してくれました。佐藤さんが言われるように、最初から与党ルートで進めていたらもっとスムーズだったのかもしれません。

一連の経緯で感じたのは、「ネットカフェ生活者を個室のホテルに入れる」ということだけで、こんなにも大変なのかということです。「三密はダメだ」とこれだけ言われているのに、また小池都知事が受け皿になるホテルを確保したと発表しているのに、それでもこんなに苦労するのか、と……。

だって、人の命がかかっているわけだし、もしも都が用意した大部屋でクラスターが発生していたら、それだけで大問題になるのはわかりきっていますよね。なのに、なぜすぐに動かないのか？　そこは本当にびっくりしましたね。

佐藤　それは、役人の内在的論理がわかっていれば不思議ではないんだけど、そんなの普通はわからないですよね。私は元官僚だからわかるけど。

定額給付金十万円をどう見るか

佐藤　ところで、日本政府が行ったコロナ対策の中で、特筆すべきは、緊急経済対策の一環として、国民一人当たり一律十万円の「特別定額給付金」が給付されたことだったと思います。

これは周知のとおり、一度は「収入が激減した世帯を対象とした三十万円の現金給付」が決定していたものを、山口那津男《なつお》・公明党代表が当時の安倍（晋三）総理に直談判して翻意《ほんい》させたものでした。

雨宮　そうですね。

佐藤　かりに当初案のまま三十万円支給でやっていたら、政権は危機に陥っていたと思います。なぜかというと、それが日本社会に大きな分断を作ることになったはずだからです。一部の収入激減世帯にだけ給付するということは、言い換えれば事実上、「ここは貧困世帯だ」というレッテル貼りですから。

雨宮　そうですね。

佐藤　かりに給付先を「世帯年収三百万円以下」で線引きしたとしたら、年収三百五万円の世帯は給付が受けられなかったわけです。しかし、年収が五万円だけ多くても、生活が苦しいことに変わりはありません。「なぜあの家がもらえて、わが家はもらえないんだ？」と不満が噴出《ふんしゅつ》するでしょう。それに、もっと年収の高い世帯にしても、コロナ禍で苦しいことには違いないわけだから、「私が払っている税金で一部の世帯だけが救われるのは納得いかない」という思いになるでしょう。いわゆる「生活保護バッシング」の背景にそういう不公平感があるのと同じことです。

　国民の中に必然的に生まれるそうした感情が、社会に深刻な分断を生み出していたでしょう。また、当初案は制度も複雑で、情報弱者も多い貧困世帯の中には、資格があるのに受給できない人も出ていたはずです。そのことも分断につながったでしょう。それに対して、国民一律の支給ならば平等であり、分断を生みません。だからこそ、公明党はそちらを選んだのでしょう。また、公明党の尽力によって、無《む》戸《こ》籍者《せきしゃ》や在日外国人にも一律に支給される制度設計になったことも、高く評価されてしかるべきです。もし「日本国籍を持った者に限って支給する」形になっていたら、そこにも分断が生じていたでしょう。

いまのように国難ともいうべき状況の中で、政権がいちばんやってはいけないことは、社会に分断を作ることです。国民が一丸となって戦わなければ、コロナという敵に勝てないからです。そのことの危険性が、公明党にはよくわかっていた。支持母体の創価学会が民衆に基盤を置く宗教団体だからこそだと思います。民衆の皮膚感覚がわかっているのです。自民党単独政権の場合、その機微《きび》がわからないことが多い。

雨宮　なるほど。

佐藤　新聞報道によれば、山口代表は安倍総理に「連立離脱も辞さず」との強い覚悟を見せて迫ったそうです。そこまでして、一度閣議決定された内容を覆《くつがえ》す大きな政治決断に至ったのです。

私のように官僚だった人間からすると、閣議決定というものは絶対的なんです。それをひっくり返すなんて、霞《かすみ》が関《せき》の定石《じょうせき》ではあり得ない。あえてそこまでやったのは、「いまは国難の真っただ中であり、戦時下に等しい」という強い危機感が、公明党にはあったからでしょう。また、山口さんの説得を受け入れて「君子《くんし》豹変《ひょうへん》」した安倍総理も英断だったと思います。

雨宮　では、私の見方を言いますね。

国民一律十万円は、もちろん給付されてよかったと思いますし、公明党の行動によって国民の分断という危機が回避されたというお話も、「なるほど」と思いました。ただ、コロナで窮地に陥っている人々と日々接している私からすると、一度だけの十万円給付は「焼け石に水」という感じがしてしまうのです。

たとえば私は、「コロナ災害を乗り越える　いのちとくらしを守る　なんでも電話相談会」というホットラインのボランティア相談員をやっていることは先ほども申し上げましたが、四月の相談会では、二日間やって、全国から四十二万件もの相談がありました。回線が足りなくて、そのうちの約五千件しか電話が取れなかったんですが……。

寄せられた相談は、どれも切実でした。悲鳴というかＳＯＳというか。瀬戸際まで追いつめられている人たちがたくさんいるんです。「今日食べるものがない」とか、

「今月末までに家賃が払えないと追い出される」とか、そういうレベルでみんな困っているのに、役所の面談予約が一カ月先まで取れないとか、審査があってお金が振り込まれるまでに数週間かかるとか、もうそんな話ばかりです。

そのホットラインの相談内容を踏まえて支援団体が国に要望書を出したんですが、そこには、「給付金は一度で終わらずに、必要な人にはコロナ収束まで何度もやってほしい」ということを書きました。あとは、「家賃や住宅ローンなどの支払いを猶予《ゆうよ》する制度を作ってほしい」ということと、「生活保護受給の審査や条件を緩和してほしいということ」も盛り込みました。追いつめられている人たちをいますぐ助けられるような状況にしてほしい、と……。

諸外国のコロナ対策を見ていると、たとえばドイツでは、「収入ありません。資産もありません」と口頭で言うだけで、ほとんど審査もなく生活保護がとりあえず半年は受けられるそうです。そして、わずか二、三日後にはお金が支給される。スピード感が日本とは全然違うと感じます。

あと、ドイツではその制度をスタートさせるに当たって、担当大臣が自ら動画を配信して、「国民の皆さん、この制度は少しも恥ずかしいことではなく、権利だからどんどん使ってください」と訴えたそうです。そこも日本とはまったく違うと感じました。
一律十万円給付は、もちろんやってよかったとは思いますけど、それだけでどうにかなるレベルの話ではもうなくなっている気がします。

佐藤　そういう苛立《いらだ》ち、よくわかりますよ。雨宮さんが日々の支援で目《ま》の当《あ》たりにしている世界と、霞が関の官僚に見えている世界は、同じ日本にいてもたぶんまったく違う。たとえば財務官僚たちには、雨宮さんが感じている危機感は、住んでいる世界が遠すぎてまったくわからないと思う。
ただ、官僚たちに悪意があるかといえば、ないと思う。あの人たちはあの人たちなりに善意を持って、日本の将来を憂《うれ》え、日本をよくしようと思って仕事をしているんですよ。

雨宮　そうなんですかね……。

佐藤　ええ。たとえば財務官僚の頭の中にあるのは、雨宮さんのような「目の前で窮地に陥っている人を助けたい」という善意ではなくて、日本の財政を再建したいという善意なんですよ。ミクロとマクロ、鳥瞰《ちょうかん》と虫瞰《ちゅうかん》くらい視点が違う。どちらがいい・悪いという話ではなくて。

一律十万円給付になる前の当初案――「収入激減世帯にのみ三十万円」という案を主導したのは財務省だったと言われています。なぜそういう案にしたかといえば、国民全員に一律給付なんかしたら、それは彼らから見れば「バラマキ」で、財政再建ができなくなってしまうと考えたからでしょう。

でも、コロナ禍への対応の中で、財務省はやむなく財政再建路線を当面のところ凍結する決定を下したんだと思います。

雨宮　そうなんですか？

佐藤　そのことを示しているのが、日銀の国債買入枠の上限撤廃《てっぱい》なんですよ。この撤廃によって、青天井で国債が出せるようになったわけです。

財務省と日銀の関係については、〝日銀の独立性・透明性に配慮して、財務省による監督は必要最小限のものになっている〟というのが公式見解だけれど、そうは言っても財務省の姿勢は日銀に大きな影響を与えます。財務省が財政再建路線を凍結したからこそ、日銀の国債買入枠が撤廃されたんですよ。

そして、撤廃が日銀の金融政策決定会合で決定されたのが（二〇年）四月二十七日。一方、一人十万円の特別定額給付金を含む補正予算が成立したのは、その三日後の四月三十日の参院本会議でした。両者は連動しているわけです。

雨宮　なるほど。

佐藤　あと、もう一度国民一律の定額給付金を出すというのも一つの手だと思うけど、コロナ禍で先行きが見えなくて生活不安が大きいから、現金配布だと使わずに貯《た》め込んでしまう人が多いと思うんです。そうなると、せっかくの給付金が経済の血流として生かされなくなる。

なので、強制的にでも消費を活性化するためには、現金ではなく金券として配ることも一つのアイデアだと思う。

金券といっても、小渕（恵三）政権時代の一九九九年に行った「地域振興券」のようなものでは不十分です。あれは配布された地域でしか使えなかったし、用途も限定されていて使い勝手が悪かった。

日本中どこでも使えて、税金は別としても公共料金の支払いに使えるような金券——たとえば、水道光熱費の支払いに使えて、公共交通機関の定期券も買えるというような金券。それを使用期限一年くらいに限定して全国民に配布したら、発行した分だけ必ず使われるから、経済が回る。

雨宮　それは大きいですね。ぜひそういうこともやってほしいです。

息を吹き返す優生思想

雨宮　それから、コロナをめぐる状況の中で私がとても心配しているのは、感染者が急増していって医療現場が逼迫《ひっぱく》するにつれ、「命の選別」が正当化されていくのではないかということです。

佐藤　とくに大きいのは、重症者のケアに不可欠な人工呼吸器の不足の問題ですよね。「数が限られているのだから、助かる可能性の低い人から切り捨てていくべきだ、人工呼吸器を外すべきだ」ということになりかねないし、実際にそういう動きも出てきている。医療崩壊に直面している欧米では、障害者や高齢者への治療が後回しにされる事例が報告されています。

雨宮　そうなんです。私がいちばんショックを受けたのは、アメリカのアラバマ州で「重度の知的障害者や認知症の人は、人工呼吸器のサポート対象になる可能性は少ない」というガイドラインが二〇二〇年四月に出たというニュースでした。「えっ！　これって認めちゃったら絶対にダメなやつじゃん」とびっくりして……。そのニュースを重く受け止めて、日本でも障害者団体が、「年齢や持病、障害の有無で医療の線引きを行うことは容認できない」という声明を出したりしています。結局、このガイドラインはのちに撤回されたようで胸を撫《な》で下ろしましたが、コロナに乗じてこういうことが正当化されてしまったら、その線引きはどんどんずれていって、「役に立つかどうか」「生産性があるか」で人の命がどんどん選別される恐れがある。

佐藤　人工呼吸器の数が限られているから、つけられる人とつけられない人が出てくるのは、これはある意味やむを得ないことです。それが「人工呼吸器をつけてもらって運がよかった」という偶然のレベルにとどまっているうちは、いまある社会とあまり変わらない。ただ、特定の人たちがつける患者・つけない患者を選別できるということになると、意図的なものになるので意味合いが大きく変わってきますね。

雨宮　アメリカの医療崩壊が深刻だという事情もあるでしょうけど、自由と人権を重んじる国であるはずのアメリカでそういうことが起きたのもショックでした。

佐藤　ただ、それは歴史的に見ればけっして不思議ではない。『ヒトラーの秘密図書館』（ティモシー・ライバック／文春文庫）という本があって、これはアドルフ・ヒトラーがどのような本に影響されて自分の思想を形成していったかを研究した本なんです。
　それによると、彼の優生思想・人種思想は、基本的にアメリカとイギリスの書物から学んだものなんです。英米、とくにアメリカの思想的潮流の中には、のちのナチズムにつながっていった危険思想も脈々と存在するんです。

雨宮　ああ、そうなんですね。アラバマの事例も、突然変異的に出てきたわけではなく、隠れていたものがまた芽を出したような感じなのかもしれませんね。

佐藤　それに、人種主義や優生思想がコロナ禍で息を吹き返しつつあるのは、欧米だけじゃないですよ。日本にもそういう危険な兆候が感じられます。

一例を挙げると、生物学者の福岡伸一さんは、（二〇二〇年）四月六日付の朝日新聞デジタルに、コロナに関連して次のようなコメントを寄せていました。

「病気は免疫システムの動的平衡《へいこう》を揺らし、新しい平衡状態を求めることに役立つ。そして個体の死は、その個体が専有していた生態学的な地位、つまりニッチを、新しい生命に手渡すという、生態系全体の動的平衡を促進する行為である」

彼は慎重に言葉を選んでいるし、科学用語が用いられているからわかりにくいんだけど、これは要するに選ばれた個体だけが生き残っていくということで、言葉を換えれば「人類が更新されていく」という発想の発言なんですね。つまり、根底には優生思想があるわけです。

優生思想は戦前の日本にもありました。たとえば、中山忠直《ただなお》という人がいました。詩人で作家なんだけど、自然科学にも造詣《ぞうけい》が深い人で、一九三一年に『日本人の偉さの研究』という著作を上梓《じょうし》しています。タイトルのとおり、日本人は人種的・民族的に非常に優れているのだという思想を展開した本です。

そういう優生思想は、平時においてはいかがわしいトンデモ思想として忌避《きひ》されているんだけど、コロナ禍のような特殊状況になると、ふとしたきっかけでメインストリームの中に浮上してくるんですね。その萌芽がすでにいま見られると思う。「相模原《さがみはら》障害者施設殺傷事件」の加害者・植松聖《さとし》なんかは、明確な優生思想の持ち主ですよね。彼についてはあとの章でじっくり語りますけど、植松は優生思想が息を吹き返しつつあるいまの状況を見て、拘置所の中でほくそ笑んでいるような気がする。

雨宮　そう！　本当にそう思うんですよ。いま、イタリアとかアメリカのニューヨークをはじめとして、コロナ禍が深刻な国や地域の医療現場では、「トリアージ」（多数の患者に対して、治療の緊急度に従って優先順をつけること）をしているということは多くの人が知っていますよね。じつは、植松が『実話ナックルズ』という雑誌で一九年から連載していた漫画（拘置所から送られてくるノートに描かれたもの。現在は休載中）が、まさに『TRIAGE（トリアージ）』というタイトルなんです。

佐藤　象徴的ですね。

雨宮　いまでこそ「トリアージ」という言葉はみんな知っていますが、コロナ禍以前、知る人は少なかったと思います。そんな時期に、まるで何かを予言するようにその言葉を漫画のタイトルに使ったこと自体、不気味です。本来のトリアージは、緊急性の高い医療現場でより多くの人を助けるためにやむなく行われるものですが、植松の起こした事件そのものが傲慢《ごうまん》な「命の選別」です。重度障害者は生きる価値がないから殺してもいいという、歪《ゆが》んだトリアージです。

佐藤　でも、コロナの医療現場で行われるトリアージも、一歩間違えれば医療者側が自分の基準で「命の優先順位」をつける行為になりかねない。その境界はあいまいで紙一重です。

雨宮　ええ。だから、コロナ禍以降、命の選別が正当化されていきそうな感じが、植松が望んでいる世界に近づいていっているようで、すごく怖いです。

　そう言うと、「何を甘いことを言っているんだ。医療崩壊したコロナの現場は戦場なんだ。きれいごとじゃ済まないんだ」と言われそうですけど。

佐藤　多くの医療従事者が、感染リスクも高い中、コロナ対応を懸命《けんめい》に頑張っていることには頭が下がります。でも、それはそれとして、優生思想的な命の選別に陥っていないかどうかは、厳しくチェックして声を上げていかないといけないことだと思います。

雨宮　はい。そうして私たちがすべきは、「誰に呼吸器をつけるか」ではなくて、「どうやって呼吸器を増やすか」という議論だと思います。そういえば、医療従事者の話だと、小池都知事が「医療従事者に感謝の手紙を送るように小中高等学校に要請した」という話がありました。

佐藤　あれも翼賛思想的で、やりすぎですよね。感謝の手紙なんて人に指示されて書くものではないわけで、戦時中に「兵隊さんのおかげです」と子どもたちに歌わせたことに近いものを感じてしまう。日本に限らずヨーロッパでも、「医療者たちにみんなで拍手を」みたいな動きがあるけど、私は気味が悪いと思っています。その拍手も一種の翼賛でしょう。

　そもそも、感染リスクが高い仕事なら、ほかにもたくさんあります。たとえばゴミ収集員の人たちだって、ゴミを通じて高い感染リスクにさらされているし、ある意味命がけの仕事です。そして、社会になくてはならない仕事でもあります。そういう仕事一つ一つに、私たちが心の中で感謝と敬意を抱いていればいい話だと思う。拍手や感謝の手紙を半強制する必要はない。

　でも、そうした中で医療従事者にとくに光が当たるのも、わからなくはない。それはあの人たちが専門知識と技術を持っていて、替えのきかない人材だからですよ。

雨宮　なるほど。

佐藤　たとえば、私が「コロナで医療現場が大変だから、何かお手伝いしたい」と申し出ても、現場ではかえって足手まといですよ。「ＥＣＭＯ《エクモ》（人工心肺装置）」の使い方も全然わからないしね。

　でも、たとえばコロナの治療現場でロシア語の通訳が必要だという状況もあるかもしれない。そういうときには私が自分の専門知識・技術で貢献できる。そのように、いろんな専門職的スキルを持った人が世の中にはたくさんいて、それぞれの持ち場で社会に貢献できる。そういう場に立ったときには、その力を最大限発揮すればいい。医療従事者もその点では同じです。

　ただし、「医療従事者たちはきっと精神的にも強いだろう。鋼《はがね》のメンタルを持っているだろう」みたいな先入観はけっして持つべきではない。彼らがメンタルをやられずに済むような配慮は絶対に必要ですよ。

雨宮　二〇年の後半に入ってから、コロナ対応の過酷さを理由に退職する看護師が急増しているというニュースをよく目にするようになりました。

佐藤　それは無理もないと思います。過酷な状況であっても、三カ月くらいだったら耐えられるかもしれない。でも、半年、一年と続いたら、どこかで心が折れても不思議はないですよ。

雨宮　そういう人たちに必要なのは、拍手とか感謝の手紙よりも具体的な物資であり、きちんと休めるような態勢を整えること、そして十分な手当ですよね。

佐藤　そう思います。あるいは、全国の精神科医たちがコロナ対応をしている医療機関を回って、スタッフのメンタルケアに当たるとかね。そういう戦略的な配置が必要です。

雨宮　メンタルケアといえば、コロナの現場で人工呼吸器が足りなくてトリアージせざるを得なくなることは、それ自体がものすごいメンタルストレスになりますよね。

佐藤　おっしゃるとおりです。戦前の日本だったら、医者たちは現場で冷静にトリアージができたんですよ。なぜかというと、当時の医専――医学専門学校というのは、基本的に軍医を養成するための学校だったからです。戦争の現場で負傷した兵士たちのうち、誰が戦闘に復帰できて、誰ができないか――そんな「命の選別」をすること自体が軍医の仕事であり、そのための訓練が教育の中にも組み込まれていましたから。

雨宮　そうか……。

佐藤　いまの日本の医者はそういう訓練は受けていないから、トリアージの現場に直面したら、ものすごいプレッシャーを感じると思う。それが続いたらメンタルをやられてしまいます。

困窮による治安悪化を防ぐには

雨宮　それから、貧困問題にずっと取り組んできた一人として、いまとても心配しているのは、コロナ禍による困窮が治安の悪化に直結することです。

報道される事件の中にも、「コロナで仕事を失って、仕方なくやりました」という犯罪が、すでに結構多いんです。強盗《ごうとう》や窃盗《せっとう》です。

佐藤　万引が増加しているという話もありますね。それは経済的困窮が引き金になる面もあるだろうし、コロナ禍がもたらすストレスの影響という見方もあります。

　DV（家庭内暴力）もコロナ禍で増加・深刻化しているといいますね。国や地方自治体の相談窓口に寄せられる相談件数が一・六倍に増えたとか。それもやはり、経済苦と心理的不安が引き金になっている面があるでしょうね。「衣食足りて礼節を知る」というとおり、困窮や不安は人を暴力的・衝動《しょうどう》的にしてしまいますから。

雨宮　もちろん、コロナ禍による治安の悪化は世界的な傾向で、日本だけの問題ではありません。たとえば、アメリカのニューヨークはコロナ禍で最悪レベルの失業率になっていて、それに比例して治安も悪化しているといいます。二〇年九月には、ニューヨーク在住の日本人ジャズピアニストが、地下鉄構内で暴行されて重傷を負った事件もありました。

　ただ、日本が自粛要請だけして休業補償が不十分であることが、困窮に拍車をかけていると思うんです。

佐藤　それもあると思う。

雨宮　コロナ禍初期のころ、外に出るのが怖い時期がありました。どれほど困窮者が増えているか、支援の現場にいるとわかるからです。自分だったら、と思うと、もう盗むしかないくらいまで追いつめられるだろうと。そんな状況に対して給付の話もまだなく、これは治安が悪化していくかもしれないと思いました。治安って、一回悪化してしまうと、元に戻すためにはすごいコストがかかるんですよね。幸い、目に見える形での治安の悪化は起きていませんが、その点はずっと心配しています。

佐藤　困窮と精神的な不安が犯罪の引き金になるというのはそのとおりだと思うけど、もう一つ要因があって、それは取り締まったり監視したりする側がコロナで手薄になっているということです。

たとえば、スーパーなどでは密を避けて現場の人員を減らしているから、スタッフの目が届きにくい分、普段より万引しやすいということもあるでしょう。あと、警察というのはそれ自体、「三密環境」でしょう。たとえば、狭い取調室に何人も入って話を聞くとかね。だから、三密による警察官の感染を避けるために、取り調べなどがしづらくなっているのかもしれない。

雨宮　言われてみればそうですね。

佐藤　そうなると、プロの泥棒たちから見れば、コロナのいまこそ稼《かせ》ぎどきという面がある。これは私の推察だけど、コロナ禍以降、窃盗の検挙率って下がっていると思う。もしそういう事実があっても、警視庁は統計を積極的には出さないだろうけど。

雨宮　オレオレ詐欺《さぎ》などの「特殊詐欺」で逮捕者も出ていますね。容疑者はコロナで仕事がなくなったと話していました。ステイホームでみんな家にいるから、いつもより家の電話に出る人が増えているということもあるかもしれません。とにかく給付、補償が必要だと感じています。

佐藤　警察自体が「三密」だと言ったけど、刑務所や拘置所という刑事収容施設も、やっぱり三密なんですよ。独房以外は集団生活だし。だから、刑務所や拘置所でコロナのクラスターがいつ発生しても不思議じゃないと思う。

雨宮　うーん、それは怖い。

佐藤　かりにどこかの刑務所でクラスターが発生したら、悲惨なことになると思います。檻《おり》の中だから、逃げ出すことは当然できないし、最初から医療崩壊しているような場所なんだから。

そうなると、まだ刑が確定したわけでもない刑事被告人が、拘置所でコロナに感染して、そのままそこで死んでしまうことだってあり得る。それがもし起きたら、世界的な人権問題になりますよ。とても文明国のあり方とは言えないから。

そうならないように、凶悪犯はともかく、「貧困からやってしまった万引」などという軽罪犯については、再犯可能性が低いなら、できるだけ早く仮釈放したりして、三密状況を改善する必要があると思います。

雨宮　佐藤さんならではの視点ですね。

佐藤　まあ、私自身が拘置所暮らしを経験しているから（笑）。そういうことに自然と意識が向くんですよ。

第二章

教育という光

学歴エリートとノブレス・オブリージュ

佐藤　この章は教育がテーマです。

雨宮　教育といっても幅広い論点があるわけですが、私としては、「教育を受けられない人たち」の話からしたいんです。

佐藤　賛成です。私たちはつい、教育を受けられることがあたりまえと考えてしまいがちですが、じつはいまの時代にも、学校に通いたくても通えない人たちはたくさんいるんですね。無《む》戸《こ》籍《せき》の子たちは就学が困難ですし、義務教育である中学すら通えなかった人たちはけっして少なくない。

「夜間中学」というのもありますね。公立中学校の夜間学級で、さまざまな事情から中学に通えなかった人たちが学んでいます。

雨宮　「寅さん」で知られる山田洋次監督に、夜間中学を舞台にした『学校』という映画シリーズがありますね。

佐藤　ええ。戦後の混乱期にはとくにそういう人が多かったので、昭和二十年代初頭から始まった制度です。昔に比べて「夜間中学」をもうけている学校は減りましたが、いまでも全国に三十六校あるそうです（二〇二一年四月時点）。

雨宮　読み書きなどの基本から学べる場ですね。

佐藤　そう。幅広い年代の人が学んでいて、生徒の中には子どものころ学校に通えなかった中高年も少なくありません。文字というのは、子どものときに覚えていないと、大人になってから覚えるのは本当に大変です。

　私は、大学などの高等教育を受ける人たちは、そういう人たちのことをいつも心のどこかで意識しておかないといけないと思う。義務教育だけで終えざるを得なかった、あるいは義務教育すら満足に受けられなかった人たちのことを、思っていないといけない。

　創価学会の池田大作名誉会長の有名な言葉に、「大学は、大学に行けなかった人たちのためにある」というものがあります。これは、大学というものの本質を衝《つ》いている言葉でしょう。とくに、東京大学などの難関大学を出た人というのは、「大学に行けなかった人たち」のことを考え、そのために行動する義務がある。学歴エリートたちが、身につけた学問を自らの栄達のためだけに使ってしまうのは、「学問の誤使用」だと思います。

雨宮　なるほど。いわゆる「ノブレス・オブリージュ（noblesse oblige）」――「高貴な身分に伴う義務」の精神ですね。

佐藤　そう。ノブレス・オブリージュはヨーロッパの貴族たちの世界から生まれた言葉だけれど、現代においてはまず学歴エリートの持つべき精神を指すと思う。

雨宮　「エリート」というと、どうしても「庶民を見下している人たち」みたいなイメージがありますけど、本来のエリートはそうじゃないんですね。

佐藤　「エリート」という言葉につきまとうマイナスのイメージは、とくに日本で強い気がします。元のフランス語など欧米語のエリートや、ロシア語でエリートに相当する言葉には、じつはマイナス・イメージってほとんどないんですよ。むしろ「リーダーシップ」という言葉に近いイメージですよ。

雨宮　「学歴エリート」という狭いイメージではないんですね。

佐藤　そうです。だから、いろんな立場のエリートがいるわけですよ。たとえば、一つの商店街を見事にまとめあげているエリートとか。そういうエリートと、財務官僚などのエリートでは、求められる資質も違ってくる。

雨宮　そして、欧米でいうエリートは、ノブレス・オブリージュの理念がしっかり定着しているから、庶民のために尽力するのがあたりまえなんでしょうか。

佐藤　そうです。エリートの日本語訳は「選《せん》良《りょう》」ですけど、何のために「選ばれた」かといえば、「自分たちの持つ力で社会に尽くすため」ですよ。だから、ヨーロッパでもロシアでも、難関大学に進学する人たちは、「卒

業したら、その力を社会のためにどう使うか」を真剣に考えるのがあたりまえです。
「エリートは非エリートたちのために存在する」――そのことが自明になっているんです。エリートでありながら、私利私欲の追求ばかりしていたとしたら、それだけでエリートのモラルに反している。

そうじゃなかったら、巨額の資金を投入して大学を維持することを、社会がサポートしてくれませんから。

雨宮　でも、日本ではそうなっていない。

佐藤　本来は日本にも、エリートならではの高い倫理観があったはずですけどね。たとえば、「日本資本主義の父」と呼ばれる渋沢栄一は、「論語と算盤《そろばん》」という言葉で知られる「道徳経済合一説」を説いて、企業経営は「仁義を根本」にしないといけないと説きました。彼は生涯に約五百もの企業の設立に関わりましたが、一方では約六百の教育機関・社会公共事業の支援に尽力しました。日本の資本主義は、黎明《れいめい》期には渋沢のような高い志を持った人たちに牽引《けんいん》されていたわけです。

ひるがえって、いまはどうか？　日本の超難関大学を出た人たちが、金融コンサルティングや投資銀行などの業種に大きく偏重《へんちょう》してしまっているのはよくないと思う。マネーゲームにばかり狂奔《きょうほん》して、せっかくの才能を濫費《らんぴ》してしまっている感じがあるのです。エリートたちが金儲《かねもう》けや権力だけを追求するようになってしまったら、その国は急速に滅びに向かうと思う。だから、日本のエリートにそういう傾向が見られるのはすごく危険な兆候です。

ただ、近年の傾向として、日本の高学歴エリートたちにも「金儲けや出世ばかりが幸せじゃない」と考える人が増えているようで、世のため人のためになるようなＮＰＯに就職したりする。それはいい傾向だと思います。

あと、最近進んでいる大学教育の無償化――これは、経済的理由で大学に進めなかった人に道を開くという意味ではよいことなんだけど、気をつけないと、逆に格差を拡大させてしまうことにもなりかねない。

なぜかというと、昔に比べて進学率が上がったとはいえ、大学に進む人は全体の半分強しかいないわけで（二〇二〇年の大学進学率は五四・四パーセント）、社会の半分しかいない人たちのために偏《かたよ》った支援であるから。大学に行く人には税金からお金を与えて、大学に行かない人には与えない、ということになる。そこに本質的不平等が内在しているということは、どこかで意識しておくべきだと思う。

雨宮　大卒と高卒の生涯賃金は、やっぱり大きな開きがありますからね。

佐藤　そう。だから、教育の不平等を是正《ぜせい》するための政策が、逆に大卒と高卒の格差を拡大する政策になりかねない危険性がある。

雨宮　なるほど。

佐藤　大学教育の無償化よりも先に、高騰《こうとう》しすぎている国立大学の学費を政治の力がぐっと下げるなどしたほうが、格差是正につながる気がします。

雨宮　昔の国立大学は学費が安かったと聞きますけど、いまはすごく高いですよね。

佐藤　少し前、山口二郎さん（政治学者／法政大学教授）と話したら、山口さんが東大に通っていた一九七〇年代には学費が月一万円だったそうです。で、彼の何歳か上のお兄さんのときにはもっと安くて、月千円くらいだったとか。

雨宮　えー、驚きです！。それくらいだったら、奨学金を借りても返済がラクですよね。いまの若い学生と話をすると、「大学を出るのに奨学金をいっぱい借りたので、私、数百万円の借金を背負っています」みたいな人がたくさんいて、それはもう大変そうです。

佐藤　私も、大学生と話をして奨学金の話題になると、彼らが背負っている額の大きさに驚きます。大学入学の時点で満額——借りられる限度まで目いっぱい借りてしまうと、それだけで五百万円近くになるというんです。社会に出る時点で借金五百万からのスタートなわけですよ。

　バブル期に金融機関の「貸し手責任」ということが問われましたけど、学生たちに学費や生活費として数百万も貸し付ける側にも責任があると思う。本来、無収入に近い学生たちに、そんな大きな借金をさせてはいけないんですよ。

雨宮　本当にそう思います。大学を出ても非正規雇用で低収入の仕事にしか就けない人はたくさんいるし、貯金なんてする余裕のない若い人も多いわけで、そういう人たちにとって数百万の奨学金返済は重い足枷《あしかせ》です。奨学金のせいで人生が狂ってしまった人もたくさんいます。

　二〇一八年に、九州大学で研究室に火をつけて焼身自殺したとみられるオーバードクター（博士課程に進んだあと、定職に就けずにいる人）の四十六歳男性がいましたよね？　あの人も奨学金を借りていて、アルバイトをしながら非常勤講師をしていたそうです。それで経済的に困窮《こんきゅう》して、自殺してしまった。奨学金返済の重荷も死を選んだ要因の一つだったのではないかと思います。

金儲け目的で勉強するむなしさ

佐藤　「何のために学ぶのか？」と問われて、「出世するため」とか、「お金をたくさん稼《かせ》ぐため」と答える人は多いでしょう。でも、そんな目的のために学ぶのは、じつはとてもむなしいことだと思いますね。

私がいた官僚の世界では、立場上、日本や世界でいちばん裕福な人たちと接する機会も多かったので、そういう人たちの姿を見てそう思います。

たとえば日本でいえば、さっきも言ったけど、金融コンサルティングや投資銀行などの世界に生きる人たちです。この人たちはだいたい年収二千万から三千万くらいは稼ぎます。ただ、長年続けられる仕事でもないですけどね。

雨宮　えっ、どうしてですか？

佐藤　博打《ばくち》と一緒で、当たり続けないといけないから。マネーゲームでクライアントや会社に儲けさせ続けないといけないんです。自分が二千万円の年収を得るためには、クライアントに百億円くらい儲けさせないといけない……そういう世界なので、失敗していなくなる人が多い。だいたい十年くらいしか続けられないと言います。

雨宮　ちなみに、そういう人たちって電車で通勤しているんですか？

佐藤　そうですよ。普通のサラリーパーソンと一緒に。

雨宮　へえー。そんなに年収が多かったら電車になんか乗らなそうなイメージがありますけど。

佐藤　金融の世界に限らず、商社でも三十代で年収二千万円くらいの人はたくさんいます。でも、だいたい普通に電車で通っています。運転手つきの車は、年収に関係なくポスト（役職）につくものだから。たとえば、年収が一千万円くらいとしても、大企業の役員なら車をつけてもらえる。

雨宮　その車で会社まで送迎してもらうわけですね。

佐藤　そう。それから、日本に限らず世界共通の現象だけど、高額所得者が思い描く理想の人生モデルというのは、四十歳になる前に十億円くらいの資産を築いて、その後はセミリタイアすることなんです。

雨宮　働かずに余生を暮らすことが理想なんですね。

佐藤　外交官時代、ロシアや中央アジアの個人資産百億円以上の超富裕層とも付き合ったけど、その人たちの暮らしぶりは驚くほどワンパターンでしたね。

コートダジュールあたりに別荘を買い、そこに自分の好きなシェフを雇ってプライベートレストランを作る。その後はプライベートジェット機で、世界のあちこちを旅行して回る。だいたいそれだけ。百億円以上持っていても、それ以上の何もないんですよ。「うらやましい」と思うかもしれないけど、人間はどんな暮らしにもすぐに慣れてしまうものですからね。どんな贅沢《ぜいたく》な暮らしも、慣れてしまえばただの日常で、すぐに退屈するようにできているんです。

だから、贅沢な暮らしに飽きると、次はチャリティ活動を始める。要は、世間的な名誉が欲しくなるんです。

雨宮　チャリティをやってくれるんだったら、まだいいじゃないですか。世のため人のためになるわけだから。

佐藤　個人資産数百億に達すると、決まってチャリティに走る。そこに善意がないとは言わないけれど、けっして善意だけではない。チャリティをやらないと、ほとんどが税金で持っていかれちゃうという事情もあるんです。それで、そのチャリティをやっている財団の役員に自分の親族をつけて、そこからまたお金を得る。

ともあれ、富裕層の生活なんて、ワンパターンでつまらないものですよ。だいたいみんな、暗殺されることを常に恐れているしね。

雨宮　暗殺……。すごい世界ですね。

佐藤　超富裕層ともなると、その人が死ぬことによって大きな利権の空白ができて、得をする人がいるからです。だから、彼らはいつも暗殺を気にしていて、自分の邸宅にいる時間が長くて、気軽に外に出られません。用があるときは人を邸宅に呼びつけるんです。

雨宮　じゃあ、満員電車なんか絶対乗れないですね。

佐藤　そのとおりです。スターバックスとかにも行けません。また、暗殺までいかなくても、富裕層は死を異様なまでに恐れます。死は贅沢な暮らしが終わることを意味するから。だから、健康にものすごく気を使って、死ぬことが怖くてたまらない。そういう暮らしを目《ま》の当《あ》たりにして、私は「こんな暮らし、何が楽しいんだろう？」と思ったものです。外交官の面白さの一つは、普通のサラリーパーソンをしていたら絶対に会わないそういう人たちとも知り合いになれることですね。

　そういえば、私が逮捕されたあと、まだ作家になっていない時期に、ロシアで知り合った超富裕層の人たちからいくつも就職のオファーを受けました。

雨宮　どういう仕事のオファーですか？

佐藤　「気分を変えて、石油関係の会社で働かないか？」とか、「武器商人をやらないか？」とか。全部断りましたけど。

雨宮　年収はどれくらいのオファーだったんですか？

佐藤　日本円にして三千万から五千万の間でした。

雨宮　ムチャクチャいいじゃないですか！　なんで断ったんですか？

佐藤　そんなに高額だということは、リスクの高い仕事をさせられるに決まっているし、人殺しの手先なんかしたくないですから。

雨宮　ああ、そうか。いやー、恐ろしいですねえ。

佐藤　ともあれ、日本でも海外でも、金儲けや出世だけを目的に勉強しても、たどり着ける最高のゴールはせいぜいそんなところなんですよ。金儲け目的で勉強することがいかにむなしいかを、私は外交官時代に思い知りました。

教育は「子どもが生き残るため」にある

雨宮　私、佐藤さんのご著作でいちばん好きなのが『十五の夏』（幻冬舎文庫・上下）なんです。

佐藤　読者のために説明すると、『十五の夏』は、一九七五年、私が高校一年のときに、夏休みを使ってソ連（当時）と東欧を一人旅したときの旅行記です。

雨宮　あれがもう、すごい面白くて面白くて。分厚い上下巻の本なのに一気読みしてしまいました。

佐藤　ありがとうございます。

雨宮　私、あの本を読んだとき、「これこそ教育の原点だ」と思ったんです。「かわいい子には旅をさせよ」と言いますけど、まだ十五歳のわが子に冒険のようなソ連・東欧一人旅をさせるという営《いとな》みそれ自体の中に、教育のすべてがあるというか。

佐藤　それは私自身も思います。あのときの一人旅がその後の人生の一つの土台になっているという実感があります。

雨宮　そもそも、佐藤さんのご両親はどうしてあの一人旅を許したんでしょう？　危険もあっただろうし、お金もかかったのに。

佐藤　それはね、雨宮さんが「教育の原点だ」と鋭く見抜いたとおり、うちの両親のやや特異な教育観が背景にあるんですよ。

雨宮　「特異な教育観」とおっしゃいますと？

佐藤　当時の同級生たちの親御さんと比べると、両親は少し世代が上なんです。私は父が三十五歳、母が三十歳のときに生まれた長男だから。いまなら平均的な初産年齢だけど、母のころは三十歳でもう「高齢出産」と言われた時代だったのでね。そこから十五年経《た》ってるから、当時父はもう五十歳、母は四十五歳だったんですよ。同級生たちの親は、たいていもっと若かった。

　だから、うちの両親は世代的に戦争の現場を知っているわけです。父は召集されたし、母は十四歳のときに沖縄戦で九死に一生を得ましたから。でも、同級生の親たちはもう少し若かったから、戦争を体験したとしても子ども時代の疎開体験などが主で、ちょっと感覚が違うんですね。

　その感覚の違いが教育観にも反映されていた。同級生の親たちの場合、子どもに高等教育を受けさせる目的は、たいてい立身出世だったんですね。いい悪いは別にして。

　たとえば、私の浦和高校時代の親友で、『友情について』（講談社）という本を一緒に作った豊島昭彦くんの場合、お父さんは高卒で国鉄に入って、自分より実力のない大卒者に役職でどんどん追い抜かれていくことに、すごくくやしい思いをされたそうです。そのため、豊島くんには、「お前は（進学校である）浦高に入って、その後は東大に行くんだ」と子ども時代から言っていたとか。「子どもが社会に出てから出世街道を走れるように、十分な教育を受けさせてあげたい」というのが、高度成長期の親たちの教育モデルだったわけです。

でも、うちの両親はそうではなかった。二人ともそれぞれの立場で、「教育の力を身につけた人が戦争で生き残れた」と実感する経験をしていたからです。

雨宮　どんな経験ですか？

佐藤　まず父の場合、終戦の年に陸軍航空隊の通信兵として召集されて、中国の南京と北京で従軍しました。そこで終戦を迎えて戻ってきたんだけど、父から聞かされた軍隊当時の思い出で、すごく印象に残っている話があります。

「ラジオが壊れた」と言われて将校に呼ばれてみたら、中国と日本の電圧の違いからヒューズが飛んだだけだったそうです。日本は百ボルト、中国は二百二十ボルトだったんです。それで父は、ラジオに百ワットの白熱電灯をつなぐことで、流れる電圧を半分にして、ヒューズが飛ばないようにしてあげた。そのときに仲間たちと、「将校が電圧の違いさえわからないようでは、この戦争は負けるな」と言い合ったそうです。

それと、陸軍航空隊でも大卒で英語のできる人たちは、「もう戦争は負ける」とわかっていたそうです。大本営発表ではない本当の戦況も知っていたからです。英語ができない父たち通信兵も、インドのデリーからの日本語放送（イギリス軍による）を短波ラジオで聞いて知っていました。

雨宮　なるほど。「教育の力」を思い知らされる体験ですね。

佐藤　そういう戦争体験があったから、父は国家を信用していなかったし、政治も嫌いでした。そして、息子の私に対しては、「腕に技術さえあれば、どんな状況でも生き残ることができる」「高等教育を受けると、国家が国民に嘘《うそ》をついているときも、それを見抜くことができる」とよく言っていました。

一方、母は十四歳で日本陸軍の軍属になって、沖縄戦に遭遇しました。首里から南方に後退するときに、母は陸軍の下士官から「捕虜《ほりょ》にならず自決せよ」と言われて、手榴弾《しゅりゅうだん》を二つ手渡されたそうです。不発だったときに備えて、予備の手榴弾まで渡されたわけ。

雨宮　沖縄戦の残酷な現実ですね。

佐藤　なぜ「自決せよ」と言ったかといえば、彼らは米軍の捕虜になったら残虐《ざんぎゃく》な殺され方をすると信じていたからです。

どう噂《うわさ》されていたかといえば、女性はまず陵辱《りょうじょく》される。その後に耳を切り落とし、鼻を削《そ》ぐ。でも、その様子を捕虜自身に見せるために、目だけは最後まで傷つけない。そして最後に目をえぐり取る、と……。「そういう目に遭《あ》うよりは、自決したほうがよいだろう」と言われるわけです。

雨宮　うわー。絶句しますね。

佐藤　でも、それは一部の日本兵たちが中国などの戦場でやってきた蛮行《ばんこう》なんですね。自分たちがそうやってきたから、米兵もやるに違いないと思い込んでいたわけです。

ただ、そのとき、東京外事専門学校（東京外国語大学の前身）出身の通訳兵が、母にそっと耳打ちしたそうです。「国際法という法律がある。米軍は女、子どもは絶対に殺さない。捕虜になれ」と……。

でも、母にはどちらの言葉が本当かわからなかった。その後、摩文仁《まぶに》の「ガマ」（自然壕《ごう》）に潜んでいたところを米兵に発見されたとき、母は持たされていた手榴弾の安全ピンを抜いて、自決の準備をしたんです。

その手榴弾を壁に叩《たた》きつければ、そこにいた十七人全員が死んだでしょう。でも、母は一瞬躊躇《ちゅうちょ》したんですね。そのとき、隣《となり》にいた北海道出身の陸軍伍長が「死ぬのは捕虜になってからでもできる」と母に言って、（降伏の意思を示すため）両手を上げた。それで母は命拾いしたし、そこにいた十七人全員も死なずに済んだのです。

雨宮　すごい……。沖縄戦を体験した人の貴重な証言ですね。

佐藤　いま話したことが、父と母の原体験なんです。それが二人の人生観に決定的な影響を与えたし、教育観も変えたんですね。

両親は私に、こう言いました。

「自分たちは高等教育を受ける機会がなかったけど、運がよくて生き残った。でも、高等教育を受けた人たちは、戦争のただ中でも、自分の判断で生き残る選択ができた。だから、お前も大学へ行け。適性があるのなら、大学院にまで進め」と……。

つまり、わが家にとって子どもに高等教育を受けさせることは、立身出世のためじゃなくて、「生き残るための力」を身につけさせるためだったんです。

『十五の夏』の一人旅で得たもの

雨宮　そういう教育観があったからこそ、佐藤さんが十五歳でソ連・東欧一人旅をするのも反対なさらなかったんですね。

佐藤　そう、その旅も「生き残るための力」をつける役に立つだろう、と判断したのだと思います。父は当時銀行員をしていたし、言ってみれば「資本主義の手先」だったわけだけど、社会主義国に対する偏見はまったくなかった。むしろ、「社会主義というものがソ連、中国、東欧、キューバにまで広がっている。これだけ強い影響力を持っている思想には、あなどれない力があるはずだ」と考えていた。そして、「その社会主義国の現実を少年時代から見ておくことは、この子の将来にとって絶対にプラスになるはずだ」と判断したのだと思います。

　戦争の時代をくぐり抜けてきた父にとって、いまある社会体制なんて砂上の楼閣《ろうかく》であって、いつまた戦争が起こって社会がひっくり返るかもしれない、という感覚があったんでしょうね。ひっくり返って、日本が社会主義体制になる可能性もある。だから、息子がソ連について熟知していれば、そのことで生き残る可能性も高まるだろう、と……それが父の思いだったのだと思います。母も一緒でした。

雨宮　物見遊山《ものみゆさん》の旅じゃなくて、「生き残るための旅」だったんですね。

佐藤　そう。父と母にとっては、教育とは「生き残るため」のものだった。そして、そのためには学校教育だけでは不十分で、それ以外にも見聞を広める経験が必要だ、と。そう考えていたからこそ、私の一人旅も賛成して後押ししてくれたんですね。

雨宮　お金も出してくれて。

佐藤　ええ。親が出してくれました。当時のお金で四十八万円かかりましたから、結構な大金でしたね。父の給料の一カ月半分だと言っていました。ただ、投資として考えれば、のちに私が外交官としてソ連・ロシアを担当することになって、十分ペイしたわけですけど。

雨宮　その旅によって「生き残る力」も高められましたか？

佐藤　それは感じますね。旅で得た実利としては、のちにロシアに関わる仕事をしたときに大いに役立ったんだけど、それ以上に、少年時代にまったく別の世界を体験したことが、自分にとって大きな力になりましたね。それは一言で言えば、「自分の頭で考える習慣」が身についたということでもある。

何か重要な選択を迫られたときに、よそから得た知識や人の意見を鵜《う》呑《の》みにするのではなく、自分の頭で考えることができるようになりました。たとえば、鈴木宗男という一人の政治家と深く付き合うに当たっても、ほかの人の鈴木さんに対する評価で決めつけず、自分の頭で考えて決めました。また、創価学会の人たちと深く付き合うに当たっても、「やめておいたほうがいい」とか外野から言われることはよくありましたけど、自分の頭で考えて、自分の目で見たことで学会について判断してきました。

そういう姿勢は親の教育によるところが大きいし、十五歳の夏にソ連・東欧を旅した体験も大きいんです。親は戦争中に国家の嘘にだまされなかったからこそ生き残れたから、「世間の評価なんて鵜呑みにせず、自分の頭で考えないといけない」ということは叩き込まれてきました。

また、自分の生まれ育った世界しか知らないと、人はその世界の常識に縛《しば》られがちです。でも、私は十五歳で別の世界を体験したことで、生まれ育った世界を相対化して見ることができるようになった。その体験はやはり大きかったですね。

雨宮　一人旅というのは最高の教育でもあるんですね。

佐藤　ええ。そういえば、柳生《やぎゅう》十兵衛で知られる柳生家には、「子どもが十三歳になったら一カ月間の一人旅をさせよ」という家訓があるそうです。いまでいう成人の儀式のようなものですね。俳優の柳生博さんは柳生家の末裔《まつえい》ですが、やっぱり十三歳のときに一人旅をさせられたとか。それも広い意味での教育ですね。

もちろん、一人旅には危険もあるから、それに対する配慮は親の側にも十分求められるわけですが……。

雨宮　当時はソ連に対して「怖い国だ」というイメージも強かったでしょうし、親としては「ソ連なんて危ないからやめなさい」と言ってしまいそうですよね。

佐藤　その点、うちの親は冷静に危険性と安全性を勘案したのだと思います。

合理的に考えてみれば、当時のソ連は外国人が旅するにはむしろ安全だったんですよ。だって、どういう旅をするか、あらかじめスケジュールを決めて当局に伝えておかないといけなかったんだから。常に監視されているようなものですからね。雨宮さんも北朝鮮を旅されたことがありますけど、いまの北朝鮮旅行と同じです。

雨宮　なるほど。たしかに自由行動はまったくできなくて、常に労働党の人がついているので「安全」でした。

佐藤　『十五の夏』にもくわしく書きましたけど、私は当時、ハンガリーにずっと英語で文通していたフィフィという二つ年上のペンフレンドがいました。彼とそのご家族にも、ハンガリー国内はもちろんのこと、拠点、拠点で助けてもらえたんです。私の両親からみれば、その点も安心材料だったでしょうね。

雨宮　それにしても、一人旅をさせたご両親もすごいと思います。

佐藤　そのおかげで、私は外交官になってから、偏見にとらわれずにソ連を見ることができました。そのことは外交官として大きな力になった。

雨宮　外務省の職員にさえ、ソ連に対する偏見はあったんですか？

佐藤　それはそうですよ。まだ東西冷戦時代であり、日本は西側世界の一員で、ソ連は東側の本家ですから。外交官は、「反ソ・反共」という色眼鏡でソ連を見るところから出発するわけです。でも、私は少年時代にソ連を実体験しているから、色眼鏡をかけずにスタートできたわけです。

雨宮　十五歳のときに見たソ連と、外交官として赴任《ふにん》したソ連は、やっぱり違いましたか？

佐藤　まったく違いました。一九七五年のソ連は、まだアフガニスタン戦争（一九七八年〜八九年。ソ連によるアフガニスタンへの軍事介入）の前だし、日本より生活水準も教育水準も高い、「豊かなソ連」でした。

　外交官としてモスクワに赴任したのは一九八七年で、『十五の夏』の旅からたった十二年後ですけど、一変していましたね。インフラが悪くなって、物不足が生じ、社会が疲弊《ひへい》していました。

　だから、私は「三つのロシア」を知ることができたんですよ。豊かなソ連と疲れきったソ連。そしてもう一つ、ソ連崩壊後の混乱と躍動の中の新生ロシア。その三つを実体験として知ることができたのは、私の人生にとって大きな財産になっています。

　八七年にモスクワに赴任したころ、外務省の人たちはだいたいソ連に対してマイナス・イメージを抱いていました。「ソ連は経済的に弱い国だし、体制も抑圧的でどうしようもない」というイメージです。でも、私はそういうステレオタイプのイメージにとらわれずに済んだ。十二年前のソ連を知っていたからです。

「あのころのソ連は強かったし、当時の日本よりはるかに豊かだった」と……。それは私がソ連という国の底力を肌感覚で知っていたということで、外交官としては大きなプラスになりましたね。

雨宮　なるほど。

ところで、『十五の夏』を読んで私が驚いたのは、いつ何を食べたということがメニュー一品一品まで詳細に記録されていることです。あれはやっぱり日記に基づいて？

佐藤　いや、日記なんか残ってないですよ。だから、細かい日付を間違えていたことにあとから気づいた部分もあるし。

雨宮　あの詳細な食事の記録を記憶だけで書いたんですか、驚きです！

佐藤　それはやっぱり、すごくおいしかったたし、人生で初めて食べたものもたくさんあったからですよ。そのおいしさの記憶を、その後の人生で何十回も何百回も反芻《はんすう》するから、だんだん記憶に定着したんでしょうね。逆に、私が少年時代に何度もソ連に行っていたとしたら、あんなふうには記憶できなかったでしょう。

　あとは、あの本をかりに十代後半で書いたとしたら、ああいうものにはならなかったと思う。五十代になって、いろんな人生経験を経たあとで整理し直して書いたからこそ、一つの作品として成立したんでしょうね。

雨宮　それにしても、ご両親の戦争体験があったからこそあの旅もあったという話は、すごく腑《ふ》に落ちました。

佐藤　ええ。あの旅をした一九七五年は戦後三十年ですけど、それでも、両親にとって戦争はつい昨日の出来事のように思えたでしょうね。だからこそ、「わが子には、生き延びる知恵だけはつけてあげたい」というのが教育についての最大の思いなんですよ。

雨宮　七五年といったら私が生まれた年で、そう考えてみると、私の世代にとっても戦争って遠くないんですね。改めて感じました。

佐藤　両親とも、「つい昨日のこと」というような思いで戦争について話してくれたから、その話には重いリアリティがあったし、説得力もありました。

雨宮　私自身、「いい大学に入って、いい会社に入って、人より裕福な暮らしをするために勉強を頑張れ」としか言われてこなかった気がします。それってあまり説得力を感じなかったし、「なんだ、お金のためか」と思って嫌な感じでした。

でも、戦争で九死に一生を得たご両親から、「生き残るためには学ばないといけない」と言われたら、それはすごい説得力ですよね。なんというか、教育の本質を教えられる思いです。

教育における管理と自由

雨宮　変なことを聞くようですが、佐藤さんは、小学校からずうっと時間どおりに学校へ行くのが苦痛じゃなかったですか？　私は、決められた時間に座って授業を受けるというそれだけのことが、すごく苦しかったんです。

佐藤　私は、授業は退屈ではあったけれども、内職を見逃してもらっていたから、苦しくはなかったですね。

雨宮　「内職」って？

佐藤　こっそり読書をするとか、ほかの科目の予習を進めておくとか。

雨宮　じゃあ、朝起きて学校に通うこと自体が苦痛とか、そういう気持ちはなかったですか？

佐藤　それはあまりなかった。

雨宮　ああ、そうなんですね。学校に通うこと自体が苦痛で、そこからつまずいてしまう子っているじゃないですか？　私自身がそうだったので、不登校やひきこもりは他人事ではないんですよね。集団行動もつらかったし、教室にずっといるのもつらかった。

　いまの仕事は、集団行動をとることもありますけど、基本は一人だし、ずっとテレワークみたいなものなので、つらくないんです。もし「いまから学校に通い直せ」と言われたら、絶対できない自信があります（笑）。

佐藤　その気持ち、わかりますよ。私も、「いまからもう一度官僚になって外務省に毎日通え」と言われたら、絶対に嫌ですから（笑）。

そもそも、一つの場所に全員集めて勉強をさせたり働かせたりするというのは、近代的な軍隊のモデルなんですね。本質的には軍隊と同じことを子ども時代からさせられるわけで、それが苦痛だという子がいるのはある意味当然なんです。

いま、コロナ禍《か》によってオンライン授業が一気に普及したから、今後は「学校に通わなくてもいい。オンラインで学べばいい」という選択肢をもうけた教育も可能なはずなんですよね。

雨宮　学校生活も軍隊がモデルだという話は、なるほどと腑に落ちました。

佐藤　時間と空間と身体まで管理されるんですから。学校教育は本質的には管理教育なんですよね。

雨宮　しかも、校則があるじゃないですか。それも、学校によってはものすごく細かくて理不尽な校則が……。私のころの校則も、「髪を縛るゴムは茶色か黒でないといけない」とか、「靴下は白でないといけない」とか、「白でもワンポイントが入ってちゃいけない」とか（笑）。ものすごく細かい、ある意味バカバカしい校則なのに、それを破ると体罰を受けるという世界でした。そんなふうに児童・生徒を縛りつけるから、管理されるストレスからいじめが発生する面があると思います。

佐藤　その見方は正しいんじゃないかな。私は雨宮さんより十五歳年長だけど、私たちのころにはまだ、成績がよければ何でも許される風潮がありましたね。

雨宮　ああ、成績がよければ校則を違反しても見逃してもらえるということですね。

佐藤　そう。成績のいい生徒とそうでない人では、教師の扱いもあからさまに違った。だから、学校で自由に振る舞うためには成績をよくしておかないといけないので、そのためにも頑張って勉強しましたね。

雨宮　「成績がよい生徒には、多少の自由をあげましょう」と……。うーん、何だかそれも嫌な管理の仕方だなあ（笑）。

佐藤　嫌な管理だけど、いま振り返ってみると、そのおかげで私は生き残ったんですね。たまたま記憶力がよかったから。中学までの勉強は記憶力だけで乗り切れました。

雨宮　優等生枠に入っていたから、授業中に内職しても怒られなかったんですね。

佐藤　そういうことになります。よい成績をキープすることと、あともう一つは、不良たちがタバコを吸ったり酒を飲んだりしていても、それを絶対教師にチクる（密告する）ことはしなかった。その一線を守ることが、中学生時代の私の処世術でしたね。その点では不良たちにも絶大な信頼があったんですよ（笑）。

雨宮　不良たちは同調を求めてくるじゃないですか？　タバコを吸っていたら、「おい佐藤、お前も吸えよ」とか。

佐藤　そんな同調圧力には負けませんでした（笑）。「お前たちが自分でリスクをとって規則を破ることについて、俺は関知しない。それを止めることは俺の権限外だ。でも、俺はやらないから」と。

雨宮　何だか、中学生なのに、もういまの佐藤さんが完成してますね（笑）。

知的サロンとしての学習塾

佐藤　あとは、教育に関する思い出というと、中学生のころに通っていた学習塾の先生といろんな話をするのがとても面白くて好きでしたね。

当時は、激しい学生運動をやっていた関係で大企業や役所に就職できなかった優秀な人が、よく学習塾の先生をやっていたんです。私が接した先生もそういうタイプでしたね。生徒を子ども扱いせず、一人の人間として対等に対話をしてくれました。しかも、勉強以外のいろんな話もしてくれて、世界を広げてくれましたね。

雨宮　たとえば世界情勢について教えてくれたりとか？

佐藤　それもあるし、文学や芸術のこと、政治のこと……いろんな話をしてくれましたね。学習塾は一種の知的サロンでもありました。

雨宮　いまの学習塾にそういう感じはないですね。受験のためのテクニックを効率よく身につける場に特化されているから。

佐藤　基本的にはそうなんだけど、塾によっては知的サロンとしての色合いを持っているところもあると思います。いまは塾の費用も高いから家計の負担になるけど、行かせる余裕があるなら塾に行かせるのもいいことだと思う。塾は子どもにとって「サードプレイス」にもなり得るんですよね。

雨宮　家でも学校でもない「第三の場所」ですか？

佐藤　そう。たとえばいじめを受けていたり、家庭不和があったりして、家や学校に居場所がない場合、塾とかスポーツクラブとかの「サードプレイス」があると、そのことが子どもにとって大きな救いになるケースもあるんですよ。よい塾はそういう機能を果たす面もある。

　そういえば、少し前に「公文式《くもんしき》」の学習塾を運営している公文教育研究会の幹部の方と話す機会がありました。私は公文式の教材を高く評価していて、あちこちの本や記事で褒《ほ》めているものだから、そういう機会をもうけてくれたんですよ。

雨宮　「算数と英語は公文がいい」と書かれていましたね。

佐藤　ええ。公文式の教材は、「受験に合格することがゴール」じゃなくて、大学の授業についていけるための土台を作るような教材になっているんですね。そこがいいと思っています。

　公文の幹部と話をしたときに「なるほど」と思ったのは、「私どもは、本を読む子どもたちを育てたいと思っています」と言っていたことです。機械的に受験に必要な知識を詰め込むのではなく、自ら進んで勉強できる子になるためのサポートということですかね。子どもたちは理解の速度も一人一人違うし、習熟度も違う。だから、一律に同じことを学ばせるのは無理がある。でも、勉強の楽しさとコツを知ることができたら、一人一人が自分のペースで進んでいくことができる……私なりに解釈すればそういうことだと思います。

雨宮　教育の本質を衝いている話だと感じます。

佐藤　これは余談だけど、私も公文式の塾にときどき通って中学国語や高校数学の教材をやってみるんです。そうしたら、国語の解釈問題でなかなか正解が出ない。私は作家なのに（笑）。

　それで、塾の先生に「これ、私の解答のどこが間違っているんですか？」と聞いたら、丁寧に教えてくれました。「この問題はこれこれこういうことが問われているから、この言葉を抜き出さないと不正解になるんです」と……。それを聞いてなるほどと納得しましたけどね。

雨宮　その場面を想像すると笑ってしまいます（笑）。

佐藤　最近は、大学入試や予備校の模試で、私の著作から出題されることも多いんですけど、その問題を自分で解いてみると、標準解答と違ったりするんですよね。

雨宮　私も自分の書いたエッセーが入試問題に使われて、でも解答したら間違ってました（笑）。

佐藤　私たちは文章を書いて公刊したら、それはある意味で自分の手を離れて「公のもの」になるんですよ。だから、自分の意図と標準的な読解がずれることも当然あり得る。むしろ、作家というのは世間の標準的なものの見方から少しずれた見方を提供することが商売でもあるしね。

　だから、「自分の文章の標準的読解はこういうものなんだ」と知っておくことは、じつは作家にとってとてもいいことなんですよ。標準がわかっているからこそ、そこからズラして違う切り口を見つけることもできるわけで。

雨宮　なるほど。よくわかります。

佐藤　その意味では、教育というのは「世間の標準、スタンダードとはこういうものだ」ということを教えてくれるものでもありますね。そこにも教育の本質がある。

「生きづらさ」の根幹にあるもの

佐藤　じつは私、ある「自立支援ホーム」（義務教育修了後、十五歳から二十歳までの家庭がない子ども、家庭にいることができない子どもが入所し、自立を目指す施設）の支援活動もしているんです。

雨宮　自立支援ホームは、ある意味いまの日本でいちばん「手持ちのカード」がない状態の子どもたちが集う場ですよね。たとえば「親がいなくて、中卒で」とか。

佐藤　そうですね。章の冒頭で雨宮さんが、「教育を語るなら、教育を受けられない人たちについて話したい」と言われたけど、まさに教育を受けられなかった子どもたちが集う場です。

　その中には、何らかの発達障害や軽度の精神障害を抱えている子どももいるんですが、けっして「頭が悪い」というわけではない。教育を受ける環境に恵まれなかっただけなんです。「私とは、私と私の環境である」という、オルテガ＝イ＝ガセット（スペインの哲学者）の有名な言葉がありますが、自立支援ホームの子たちを見ているとまったくそのとおりだと思います。家庭環境を含めた広い意味での教育環境が、人間を作るんですよ。

自立支援ホームには、親から虐待《ぎゃくたい》を受けていた子とか、環境に恵まれなかった子どもが多くて、そのことで心の闇を抱えてしまうケースが多いんです。自殺衝動《しょうどう》や自己破壊衝動との闘いが、ずっと続いているような子どもたちです。そう考えると、教育環境というのはつくづく大切だと思います。

雨宮　そのことに関連して言うと、いまの若い世代って、「生きづらさがあたりまえ」になっているような印象が、私にはあるんです。自立支援ホームにいるような過《か》酷《こく》な環境の子に限らず、ごく普通に見える家庭の子もそうです。みんな大なり小なり、「自分は生きていいのか？」とか、「死んだほうがいいんじゃないか？」という自己否定感情を抱いている。その色合いの濃淡が違うだけみたいな……。

佐藤　わかります。生きづらいことがデフォルト（標準仕様）になっているというか。

雨宮　そうなんです。その「生きづらさがあたりまえ」という感覚は、いま四十六歳の私の世代あたりから始まっていて、それ以下の全世代に共通の感覚のような気がしてならないんです。私もずっと生きづらさを感じていましたし。

佐藤　東村アキコさんの『東京タラレバ娘』（講談社）という漫画があるじゃないですか？　アラサー、アラフォーの独身女性たちが、大きな喜びもないけどとくに不満もない生活をしている様子が、じつに巧《たく》みに表現されている作品だと思います。

あそこに描かれているのは、ことあるごとに自殺を考えるような深刻な生きづらさではないけれど、まさに「生きづらさが標準」になってしまった時代の姿だという気がします。生きづらいし、将来にも期待できないけれど、「そういうものだ」と達観してしまっている女性たちというか……。さすがに東村さんはいいところを突いているなあと思います。

雨宮　「さとり世代」という言葉もありましたしね。

ただ、私が最近思うのは、自分より上の世代の人たちって、「なんでみんなこんなに自己肯定感が高いんだろう？」ということなんです。少なくとも、「自分は死んだほうがいい」と思っている人はごく少数派だと思うんです。それに対して、私たちの世代から下は、「十代のころにはリストカットしているのが普通」みたいな感じです。もちろん、全員ではありませんが、生きづらい感覚は誰もが持っている。その違いの要因は何なんでしょうか？

佐藤　私たちの時代にはまだ、高度経済成長の名残が社会にあったからだと思います。少なくとも「今日より明日はましになるだろう」という感覚は、みんなが共通して持っていましたね。

雨宮　やっぱりそれが大きいんですかねえ。私たちより下の世代って、「今日より明日はまし」という感覚自体が基本的にないですからね。「世界は放っておけばどんどん悪くなっていく」というか、「給与や年金もこの先下がる一方だろう」という右肩下がり感が共通の前提ですから。

佐藤　ただ、「右肩下がり感」はなかったけど、私たちの世代はいまよりも過酷な競争社会だったとは思います。偏差値が入ってきた最初の世代だから。当時、東京では「学校群制度」が始まっていて、それは「過剰《かじょう》な競争を緩和《かんわ》しよう」ということで始まった制度なんです。

でも、私がいた埼玉や神奈川、千葉は「東京に負けるな」と競争を煽《あお》っていた時期で、まだ過酷な競争社会だったんです。

たとえば埼玉では、業者テストで県内の高校生の順位が全部つくんです。「あなたは県内で何位です」と。

雨宮　うわー。その順位が公開されちゃうんですか？

佐藤　通知表で本人には知らされるけれど、公表されるのは上位百人くらいまでですね。それは試験結果の通知に名前が刷り込まれる。だから、上位の生徒は県内で名前が知れ渡るわけ。

雨宮　じゃあ、佐藤さんもずっと名前が載っていたわけですね。

佐藤　名前が入ることもあった。何とも嫌〜な競争社会だったわけですよ。埼玉でも山間部のほうはまた空気が違ったとは思うけど……。その後だんだん緩和されていくんですが、私たちのころがいちばん過酷な競争社会だったと思います。

雨宮　でも、校内暴力が社会問題化するのは少しあとの世代ですよね。過剰な競争が暴力性につながったということはなかったんですか？

佐藤　校内暴力とか学級崩壊はまだなかったけど、教師の体罰は多かったですね。体育教師とか美術教師とかが、暴力で抑えつけてくる感じが強かった。

雨宮　体育教師はわかる気がしますが、美術教師が暴力？

佐藤　美術教師で暴力的な人は結構多かった。それはなぜかというと、やっぱり受験競争の過激化の反映なんですよ。入試で必要なのは基本的に五科目（英語・数学・国語・理科・社会）でしょう。それ以外の科目は「学校の中であまり必要とされていない」という位置づけになって、職員室でも軽んじられることが多かったんでしょうね。そのストレスが教師の暴力性になっていたというのが、私の分析です。

雨宮　でも、それって最悪じゃないですか？　生徒には何も関係ないし。

佐藤　そうですね。少しあとになって私の出身中学でも学級崩壊が起きましたが、美術教師や体育教師の担任クラスが多かったらしい。それはやっぱり、暴力性にさらされたストレスからでしょうね。

　しかも、内申書と通知表って一致してなかった。どういうことかというと、「難関校に何人入れるか」が学校にとって重要だから、内申書操作をするわけです。跳《と》び箱もろくに跳べなくても、最難関校を受ける生徒は体育が5になるんです。
でも、内申書は相対評価だから、人数が決まっているでしょ？　それで、運動神経抜群の奴が、「アイツはどうせ難関校に行くわけじゃないから、内申書の点数はいらないだろう」ということになって、3にされたりする。「内申書は絶対に開封するな」と言われるのは、そういう理不尽なことがあったからなんですよ。

雨宮　そういえば、私も「開封するな」と言われました。

佐藤　でも、親が教師の家庭は、「間違って開けちゃいました」とか言って開封しちゃうんだよね。それで、ちゃんと中身をチェックすると……。そういう時代でしたね。
私たちのころは、教育の行き詰まりが始まってはいたんだけど、まだ力の均衡《きんこう》が教師サイドにあったんですね。それが、少しあとになると生徒側に比重が移って、校内暴力とか学級崩壊になっていく。

雨宮　いまはそういう「荒れた」時代を経て、いじめなどのいろんな問題が地下に潜ってしまった感じですね。表面的には静かなんだけど、じつはいろんな問題がある。

佐藤　でも、最近も荒れている学校はありますよね。そういう学校では、職員室も荒れる。

雨宮　ああ、神戸の小学校で起きた先生による先生へのいじめ事件がありましたね。

佐藤　昔もいまも、教育のさまざまな問題が、子どもたち、若者たちの生きづらさに直結している感じはあります。

第三章

「相模原事件」が突きつけるもの

「優生思想への共感」の恐ろしさ

佐藤　この章では、「相模原《さがみはら》障害者施設殺傷事件」（以下、相模原事件と略）をテーマにしたいと思います。二〇一六年に、神奈川県相模原市にあった知的障害者福祉施設「津久井《つくい》やまゆり園」で、元施設職員の植松聖《さとし》が入所者十九人を刺殺し、入所者・職員計二十六人に重軽傷を負わせた事件です。

加害者の植松はすでに死刑が確定しましたが、それでもいま論じるに値する大きな問題を孕《はら》んだ事件だと思います。戦後最悪の大量殺人事件であるだけにとどまらず、日本社会にある思想的歪《ゆが》みを象徴する事件でもあるからです。

雨宮さんは、事件の裁判の傍聴《ぼうちょう》に通い続け、拘置所で植松と面会もし、メディアで事件について発言を重ねてきました。この事件について、最も丁寧に取材し、深く思索を重ねてきた識者の一人だと私は思います。

雨宮　恐縮です。

佐藤　裁判の細かい過程については、雨宮さんは傍聴記（『相模原事件・裁判傍聴記――「役に立ちたい」と「障害者ヘイト」のあいだ』太田出版）も上梓《じょうし》されていますので、基本的にはそちらに譲ります。ここでは、事件が突きつけるもの、本質について語ってみたいと思います。まず、植松は死刑判決を受け入れて自ら控訴も取り下げましたが、その点についてどうお感じですか？

雨宮　弁護人は「心神喪失《しんしんそうしつ》による無罪」を主張していましたが、植松はそれに抵抗していましたね。

　というのも、彼は「重度障害者は世の中に不要だ」という考えから事件を起こしたわけですから、「彼も精神障害者だから無罪だ」となってしまったら、自分の行いの整合性が全部崩《くず》れてしまうし、自分にも生きている価値がないことになってしまうからです。

佐藤　「正常な思考で冷静に計画を果たしただけだ」と思われたいわけですね。

雨宮　ええ。事件を起こす前に植松が衆議院議長に宛てて出した手紙でも、「障害者は不幸を作ることしかできません」「私は障害者総勢四百七十名を抹殺することができます」と書き、それは世界経済と日本のためになると書いていました。日本と世界のために起こす行動なのだから、「逮捕後の監禁は最長で二年までとし、その後は自由な人生を送らせてください」として、「金銭的支援五億円」を要求していました。だから、悪いことをするという意識はなくて、むしろヒーローになれると思っていた……。

佐藤　そういう思考自体が極端に偏《かたよ》っているわけですが……。彼の中には、「日本は多額の借金を抱えていて、社会保障の財源もないのだから、役に立たない人間を養う余裕はないんだ」という正当化の論理があるわけですね。

雨宮　そうなんです。植松の中には「役に立つ」ということへの強烈なこだわりがあると思いました。「自分自身が社会の役に立ちたい」「認められたい」という切実な思いが、「役に立たない人間は社会に不要だ」という極論につながっていったような……。

　でも、私には植松のやったことを、単なる異常者が起こした異常な事件として「自分とは何の関係もない」と突き放すことはできないんです。彼が抱いていた、「日本は少子高齢化で社会保障の財源がないから、〝命の選別〟をするのは仕方ない」という思いを、じつは少なからぬ人たちが心の中で抱いていると感じるからです。

　近年の「自己責任論」の高まりと、何でもかんでも「費用対効果」とか「生産性」が強調されること……そこから生まれる「役に立たない人間は不要だ」という社会の空気と、相模原事件は密接につながっていると思うんです。植松はそういう空気の上澄《うわず》みだけをすくいとって、それを彼なりに勝手な使命感と正義感をもって考えた結果、ああいう事件になってしまったのではないか？　日本社会の

事件発生時の津久井やまゆり園（2016年7月）Ⓒ共同通信社

空気を強く反映した事件だと感じています。

実際、植松的な優生思想を感じさせる出来事は、近年に次々と起きています。たとえば、相模原事件の二カ月後に、アナウンサーの長谷川豊氏が、ブログで「自業自得の人工透析《とうせき》患者なんて、全員実費負担にさせよ！　無理だと泣くならそのまま殺せ！」と書きました。そのブログは当然大炎上して、彼はすべての番組の仕事を失いました。この意見は「役に立たない障害者は殺せ」という植松の考えと本質的には同じです。

佐藤　長谷川氏の発言はあからさまでわかりやすい優生思想だけど、もっとわかりにくい形で優生思想を潜ませた本が、ベストセラーになっていたりしますね。たとえば、「人間の能力は遺伝子でほとんど決定されていて、環境要因はほとんどないから、子どもには勉強させても無駄だ」などという遺伝子決定論の本とかね。それは、〝科学的な化粧を施《ほどこ》した優生思想〟だと思います。

雨宮さんの言うとおり、自己責任論や「生産性」の過剰《かじょう》な強調の果てに、「役に立たない人間はこの社会に不要だ」という空気が日本社会に蔓延《まんえん》しています。植松は社会とかけ離れたところから出てきたわけではなく、社会の空気を先鋭化させる形で出現したのだと、私も思います。

相模原事件を考えるとき、想起せざるを得ないのは、やっぱりナチスのことです。ナチス出現以前のドイツ――つまり、一九二〇年代のワイマール共和国は、当時の世界において最も人権感覚の進んでいた国と言っていいと思う。社会保障についても真面目に考えていて、民主的で、国民に対して優しい国家でした。

ところが、たった十四年でワイマール共和国が崩壊すると、代わって始まったヒトラーのナチスは、「労働能力のない人間は社会から退場してもらおう」という、恐るべき優生思想国家になってしまった。ナチスはユダヤ人やロマに対する絶滅政策だけじゃなくて、障害者の大量殺害も行っていましたからね。

ワイマール共和国とナチスの落差が恐ろしいんですよ。きわめて民主的で人権感覚の高い国が、たった十年で優生思想の独裁国家に変貌《へんぼう》してしまったのですから……。ということは、先進民主国家である日本も、優生思想の国になり得るということです。その危険な萌芽が相模原事件であり、彼の行いに対するひそかな共感の高まりだと思います。

雨宮　「植松はよくやった」とか、「植松の考えは正しい」とか、「植松先生は神」などという共感の声は、ネットには溢《あふ》れています。

　さすがに実名でそういう主張をする人はごく少数ですが、匿名《とくめい》ならうじゃうじゃいる。実際、獄中の植松にファンレターとか共感の手紙を送る人は結構いるそうです。だからこそ、植松は獄中でも揺らぐことなく自分の主張を保持しているわけです。「ああ、俺のやったことはやっぱり正しかったんだ」と……。

佐藤　「この社会を変えたい」という思いを抱いた人は、昔なら共産主義に傾倒していくケースが多かったと思います。「共産主義社会になれば問題は解決するんだ」と思い込んでね。でも、いまの我々は共産主義国の無残な実態を知っているから、共産主義は解決の処方箋《せん》にはなり得ない。だからこそ、植松をヒーロー視する輩《やから》も出てくるのでしょうね。

「自己責任論」の持つ歪み

雨宮　植松の行動の背景の一つにもなっている「自己責任」という言葉については、どう思われますか？

佐藤　そもそも、「自己責任」という言葉自体、おかしな発想だと思っています。「責任」は英語で「responsibility」で、「レスポンス（反応・応答）できる」というニュアンスだから、他者を前提としています。他者がいるからこそ、その他者に対して責任が生ずるわけです。

では、他者不在の「自己責任」とは、一体誰に対する責任なのか？　欧米であれば「神に対する責任」という解釈も成り立つだろうけど、日本でいう自己責任はもちろんそうではない。だから、「自己責任」は一種の自家中毒みたいな感じで、言葉自体が矛盾を孕んでいます。だから、日本のメディアの中にある「自己責任」という言葉は英訳しにくいし、外国人に説明しにくいと思います。

近い英語を探すとしたら「own responsibility」だろうけど、これは全然違う意味になりますからね。たとえば、私のiPadに入っている辞書では「独断で」「一存で」という語訳になっています。「命令されたのではなく、独断でやりました」というふうに使う言葉ですね。

雨宮　え〜！　それだとニュアンスが全然違いますね（笑）。

佐藤　だから、日本でいう「自己責任」は、「世間様に申し訳ない」みたいな「社会に対する責任」を、自己責任という形で過剰に感じてしまっていることでしかないんです。個人ではなく、社会の構造の問題なんですよ。

雨宮　そうですね。少なくとも、私が子どもだった一九八〇年代には、「自己責任」という言葉は聞いたことがありません。

佐藤　もちろん、植松を凶行に走らせた一因である日本の医療費の膨張《ぼうちょう》は、構造的な社会問題としては存在します。でも、それと重度障害者や高齢者は「生きている価値がない」と断ずるのは、まったく次元の違う話で、一緒くたにするのがおかしい。

そもそも、「生産性」や「効率性」、「費用対効果」なんてことが重視され始めたのは産業革命以後の話で、近代のわずか二百年くらいの間の特異な価値観にすぎません。

雨宮　しかも、それが人間の生命に結びつけられて語られ始めたのは、ここ二、三十年くらいだと思うんです。それまでは、「命がいちばん大事だ」という価値観を、言うまでもなくみんなが共有していた気がします。

佐藤　極端なことを言えば、医療費増大で日本経済が危機に瀕《ひん》するかどうかなんてことは、一般国民は考えなくていいんですよ。政治家と官僚、そして経済学者などの専門家が考えることであってね。植松が考えなくてもいい。なのに、なぜそこまで思いつめてしまったのか。

　植松は、正規の職業に就いて働き、税金を払っていたわけだから、その意味で十分「役に立っていた」わけです。彼が社会について心配するのは、そこまででよかった。その先は政治家や官僚などの専門家にまかせておけばよかった。なのに、日本の財政問題を自分で解決しないといけないという、ある種の「超人幻想」がどうして出てきちゃったんですかね？

雨宮　たしかに植松は、「一市民なのに目線は統治者視線」なんですよね。

佐藤　先ほど雨宮さんが言われたように、自己責任論や生産性志向との関係など、植松の犯行は時代の空気が生み出したものだという気がします。だから、単なる刑事事件というより、彼は一種の「思想犯」と見たほうがいいと思う。たとえその思想がどんなに稚拙《ちせつ》であったとしても。

雨宮　思想としての稚拙さは、傍聴していてもすごく感じました。たとえば、裁判で弁護士が、「あなたのしたことはテロ事件と言われていいですね」と確認したら、植松はその発言に不満そうだったんです。「うーん……、いいテロというのを聞いたことがないので」と言葉を濁して。

佐藤　でも、「テロリズム」は「何らかの政治的、思想的、感情的目標を成し遂げるために実行される、無辜《むこ》の市民に対する意図的暴力」というのが定義で、それにあてはまるから、彼の行為はやっぱりテロであり、彼はある種のテロリストですよ。

雨宮　そうなんですけど、たぶん、彼自身がそういう定義も知らないと思うんです。知識不足で、言葉を知らないのに、ネットや都市伝説周りの話で得た、付け焼き刃の知識で自分を正当化しようとするから、失笑を買うような話になる。法廷でも、横浜に原子爆弾が落ちる、首都直下型地震が起きる、とか不吉な予言ばかりしていました。

佐藤　裏返して言うと、もしも植松にブレーンのような人物がついていたら、もっと恐ろしい事件になっただろうし、影響力ももっとすごかったでしょうね。世の中にはいつも、「不要な人間は殺してもいい」という優生思想を持っている人間が一定数いるから。

雨宮　残念ながら、いるでしょうね。

佐藤　思想犯だからこそ、「植松、よくやった！」と快哉《かいさい》を叫ぶ人もネット空間にたくさんいるわけです。それこそ、〝宗教という形を取らない宗教〟ですよ。植松を崇《あが》めている人たちがたくさんいるわけだから……。その意味でも、植松一人を死刑にして終わる話ではない。彼の思想が歪んだ価値観を再生産して、また同じような犯行を目論《もくろ》む輩が出現してくる危険性があります。その連鎖を断ち切って、価値観の転換を行うことが急務です。

裁判で踏み込めなかった「施設のあり方」

雨宮　植松の歪んだ価値観をくわしく究明し、その背景を考える、と……。そういうことを考えると、たった十六回の公判で終わってしまった裁判は短すぎた気がします。私は十六回のうち八回傍聴できたんですが、現場で見ていてそう感じました。「どうしてあそこに踏み込んでくれなかったんだろう？」と思うポイントがたくさんありましたから。

佐藤　たとえばどういう点ですか？

雨宮　私は、事件の舞台になってしまった「やまゆり園」という障害者施設（事件後に閉所・解体）のありよう自体に、この事件の真相を究明するための大きな鍵があると思っています。

佐藤　具体的には？

雨宮　これはやまゆり園に限らず、すべての大規模施設が抱える問題だと思います。

たとえば植松は職員になってすぐのころには、友人に「障害者はかわいい」と言って、施設での仕事について楽しそうに話していたこともあるそうです。それが、働き始めて二年ほどで「かわいそう」に変わっていき、それが「意思疎通のできない障害者を殺す」に飛躍していきます。その背景には、施設での支援のあり方も大きな影響があったと思います。

たとえばなぜ「かわいそう」かというと、入所者が「一日中車椅子に縛《しば》られている」と彼は友人たちに言っていました。「食事もドロドロ」「ひどい飯を食っている」などとも言っています。また、法廷では、施設で入所者への暴力があったか聞かれているのですが、植松は「聞いたことがあります」と答えました。はじめは暴力はよくないと思ったものの、職員に「二、三年やればわかるよ」と言われたそうです。二、三年もすれば、暴力を振るう気持ちがお前にもわかるよ、ということでしょう。これを受けて、植松は食事を食べない入所者の鼻をこづくようになったりしたそうです。ここは事件につながる大きなポイントだと思いますが、裁判では、これ以上は深く掘り下げられませんでした。

裁判が終わって死刑も確定したあと、私はやまゆり園の元入所者に会いに行きました。事件を受けて、別の施設に移った人たちに会いに行ったんです。そこで驚いたのは、やまゆり園では「暴れて手がつけられない」と言われていた強度行動障害の入所者たちが、普通にリサイクルの仕事をしていたということです。その施設には、やまゆり園で「一日中、車椅子に縛られていた」女性も移ったのですが、彼女には会えなかったものの、驚くべき話を聞きました。それは、ずっと車椅子に縛られて歩けなくなっていた彼女が、いまの施設に移ってリハビリを受けたところ歩けるようになり、それだけでなく、いまは資源回収の仕事ができるまで元気になったというのです。果たして、彼女は車椅子に一日中縛られている必要があったのか、ということです。リサイクルの仕事をしていた若者たちも、もし彼らが暴れて手がつけられないなら、みんなカッターを持って仕事なんてとてもできないはずです。だけどみんなカッターで発泡スチロールを解体する作業を、生き生きとしていました。新しい施設は、やまゆり園と違って日中はみんな働きに行くそうです。一方、やまゆり園では一日中施設にいることも多かったそうです。結局、支援の違いで障害の重さは変わる、ということではないでしょうか。支援者が強度行動障害に深い理解があり、適切な支援をしていれば、「何もできない」と思われていた人でも、仕事をして毎日「お疲れさま」と言われる。そんなふうに暮らしていれば、植松は「かわいそう」だなんて思わなかったかもしれない。

あとは、植松と両親の関係も真相究明の大きなポイントだと思いますが、その点もまったく深掘りされませんでしたね。

佐藤　両親は情状証人として出廷しなかったのですか？

雨宮　しませんでしたし、両親の供述調書が朗読されることもありませんでした。そもそも、公判で両親の話はほとんど出なくて……。被告人質問で親のことを聞かれても、植松が「それは言う必要ないと思います」とか言って話をそらしていましたし。彼自身の中でも、親のことは何かタブーになっている印象でした。

佐藤　やっぱり、そこに踏み込まないとわからないことが多い気がしますね。

雨宮　そうなんですよ。親関係の話が皆無に近かったので、そこは傍聴していてすごく不思議でしたね。

佐藤　私も裁判の過程は新聞記事などで追っていたけど、第十一回公判で、植松が小学校低学年のころに「障害者はいらない」という作文を書いていたという新事実が明らかになったことに驚きました。

雨宮　そうなんです。私も傍聴していて、ペンを握る手に汗がにじむくらい驚きました。そこまでの裁判での「植松聖」像が大きく覆《くつがえ》るような気がしました。

　それまでに出ていた友人たちの供述は、「事件の前年までは普通だった」とか、「（植松から）障害者を差別するような言葉は聞いたことがない」といったものでした。つまり、「優しい奴だったのに、ある時点から変貌して障害者に対して差別的になった」という〝ストーリー〟が出来上がりつつあったのに、作文の話でそれがひっくり返ったわけです。

　ところが、作文についてはサラッと触れただけで終わりで、やっぱり深掘りもされなかったし、そこから裁判の流れが変わることもありませんでした。

佐藤　結局、あの作文はどういう内容だったのですか？

雨宮　「戦争をするなら障害者に爆弾をつけて（敵陣に）突っ込ませたらいい」「戦争

に行く人が減るし、家族にとってもいいアイデア」という内容だったそうです。ある意味で子どものころから「障害者の軍事利用」を考えていたわけだから、ゾッとする話です。ただ、それは拘置所に面会に行った記者が植松に作文の内容について質問して、『神奈川新聞』の記事で紹介されたものなんです。法廷で明らかになったわけじゃないんです。この部分、すごく重要だと思うので裁判でも掘り下げられてほしかったのですが。

佐藤　そもそも、裁判で彼の心の闇を完全に解明するのは無理でしょう。黙秘権も保障されているし。それに、裁判というのは「刑事責任を追及するために真相を究明する場」ですからね。真相究明の場としての役割は、狭く限定されているわけです。動機とか心理的な背景については、参考で聞く程度でしかない。

　だから、大きな鉄道事故や航空事故のときに作られる「事故調査委員会」のようなものが、相模原事件についても作られるべきだと思います。これは刑事裁判とは違って、責任追及ではなく真相究明そのものが目的になりますから。

調査委員会を作って、植松本人と関係者から徹底的な聞き取り調査をする。そして、彼がどういうことを考え、なぜこういう行動をしたか？　その行動によって、関係者にはどのような影響があったか……そういうことを洗いざらい、国として調べるんです。

それか、国会内に特別なチームを作って、「国政調査権」の一環として徹底調査をしてもいい。

雨宮　それはすごくいいアイデアですね。一九年の参院選で重度障害がある二人が「れいわ新選組」から出て当選しましたが、選挙では二人を応援しました。とくに木村英子《えいこ》さんは、まさに重度障害者施設で暮らした経験もありますから、ふさわしい気がします。

佐藤　いいですね。こういう問題は政争の具にしないで、与野党が協力して超党派でやるといいと思います。反対する議員も少ないでしょう。

国政調査権の権限は強大なんですよ。死刑が確定しても、国政調査権を行使すれば本人に会えるはずです。

雨宮　国会議員なら？

佐藤　いや、議員じゃなくても、国政調査権を行使するための調査委員会のメンバーに入れてもらえば、雨宮さんも会えますよ。

雨宮　ああ、そうなんですか。

佐藤　国会議員でも、キャリアの浅い人はそのへんのことを知らないかもしれない。国政調査権の行使が必要な理由としては、「裁判では刑事責任の追及については必要十分な捜査が行われたが、事件の背景については明らかになっていない。背景も含めた真相究明は、類似事件の再発防止の観点からも不可欠であると考える」ということですね。それともう一つ、調査の過程で植松から謝罪の言葉を引き出せるかもしれないということも、理由の一つになります。本来、この種の大事件については、真相究明・謝罪・再発防止が三点セットになるはずですから。

その三点のために徹底的に調べ上げるためには、国権の最高機関である国会の意思で調べる国政調査権の行使が不可欠だと思います。

「失敗したヒトラー」としての植松聖

雨宮　あと、裁判をずっと傍聴していて感じたのは、「思っていた以上に植松は妄想がひどいな」ということです。

たとえば、「障害者を抹殺したら百億円もらえる」と友達に嬉《うれ》しそうに話していたり、米国のトランプ大統領（当時）が自分の犯行を絶賛してくれると思い込んでいたり……。

「イルミナティカード」という、未来が予言できるという都市伝説があるカードゲームがあるんですが、植松はそれにのめり込んでいました。そのカードの影響もあってか、彼は「伝説の指導者ボブ」というキャラクターを自分で勝手に創り上げていたようです。

佐藤　それはどういうものなんですか？

雨宮　「１３０１３」という数字が、彼にとっては「聖なる数字」らしく、何かイルミナティカードに関係しているようなんですね。で、その数字は横に書くと、「ＢＯＢ」（ボブ）と読めるんです。で、「１３０１３」を逆から読むと、植松の名前である「さとし」と読めることに気づいた。「３」が「さ」、「１０」が「十」だから「と」、「３１」は3と1を足すと4だから「し」……。それに気づいて、彼は自分が特別な人間だと思い込んでいたらしいです（笑）。

佐藤　妄想がさらなる妄想を呼ぶんですね。

雨宮　本当に稚拙な妄想でしかないんです。漫画や都市伝説やネット言説の上澄みから得た雑多な情報を寄せ集めて、「やっぱり自分は特別なんだ」という妄想を構築していく感じですね。

それはたから見たら陳腐《ちんぷ》で幼稚で、まさに「中二病」です。植松は事件前、「新日本秩序」という原稿を書いているのですが、「安楽死」「大麻」「カジノ」「軍隊」「セックス」「美容」「環境」について、稚拙な持論を展開しています。大麻は解禁すべきとか、意思疎通のできない人を安楽死させるべきとか、美容整形費を国が一部負担すべきとか。その内容は、中学生くらいの男子が「俺がもし世界の支配者だったら……」と妄想してノートに殴り書きしたストーリーみたいだと思いました。植松は事件当時二十六歳で、もう三十代ですが、異常なほどの未熟性が垣間《かいま》見える。その手の都市伝説とかは、普通、一度中学生くらいで通過して、成人してからはバカにしつつ面白がるというスタンスだと思うのですが、二十代で本気でハマっている。

佐藤　でも、はた目には陳腐で幼稚な妄想体系でも、それが世界史を変えるほどの影響力を持つこともありますからね。ヒトラーの『わが闘争』だってそうでしょう。あれは、いろんな文献から寄せ集めた断片で作り上げたもので、いま読むと妄想体系でしかないけど、ナチズムの聖典になって、第二次世界大戦とホロコーストを呼び起こしてしまったわけです。

　荒唐無稽な妄想も、それが国家権力と結びついたときには、恐るべき力を生み出すわけです。その意味では、植松はいわば「失敗したヒトラー」なんですよ。

雨宮　その表現、すごく腑《ふ》に落ちます！　まさに「ヒトラーの失敗作」みたいな人なんですよ。あと、「一人オウム真理教」みたいな感じもします。つまり、特別な力は何もない普通の人なのに、勝手に「自分が世界を救わないと」という変な使命感を抱いて、妄想の中でそれを実現していくみたいな……。オウム真理教は被害者的な妄想から「地下鉄サリン事件」などのテロを起こしましたが、植松は「世界でただ一人、真実に気づいた自分がやるしかない」と相模原事件を起こしたわけです。

　妄想がひどいのと、あとは認知がものすごく歪んでいることを感じました。植松は、人からはっきり否定されない限りは「イエス」だと思い込む思考のクセがあるんですね。たとえば、衆議院議長に「障害者を抹殺する」という手紙を出したことで精神科に措置入院となったわけですが、その措置入院中に看護師や医師に「障害者は安楽死させるべきだ」と言いまくっているんですね。その言葉を相手がはっきり否定しなかったことで、「彼らも自分の意見に賛成なんだ」「一理あると思ってるから否定しないんだ」と思い込んでしまうんです。

佐藤　精神障害者を相手にする医師や臨床心理士は、相手の妄想を否定せずに、まずは話を聞きますからね。

雨宮　そう。それを賛同だと受け止めてしまうんです。認知が強烈に歪んでいる。その歪みがあらゆる場面に出てくるんです。たとえば、友人たちに「障害者を殺す」という話をしたら、みんな冗談だと思って笑うんですが、「笑ったからみんな賛成なんだと思いました」と植松は証言していました。
そういう面を見ると、コミュニケーションや人の感情を読み取ることが著《いちじる》しく苦手だったということも考えられます。発達障害的な特徴を指摘する専門家もいます。そういう面ももっと考えられるべきだったと思うんですが、そこもまったく掘り下げられなかった。

佐藤　ただ、ヒトラーの『わが闘争』に限らず、妄想が世界を変えてしまう例はいろいろありますからね。
たとえば、「ルイセンコ学説」というものがありました。これはトロフィム・ルイセンコというソ連の生物学者が唱えた説です。秋まき小麦を春まき小麦に変えたりする「春化処理」というものがありますが、ルイセンコはこの効果が遺伝すると考えました。「後天的に獲得した形質は遺伝しない」とするメンデルの遺伝学を否定するもので、疑似《ぎじ》科学です。しかし、ルイセンコ学説はスターリンに重用されたため、彼の学説を批判する学者たちが粛清《しゅくせい》され、ソ連農業の失敗による大飢饉《だいききん》の一因にもなりました。妄想が一国の歴史を変えてしまった例です。

そういう例もあるので、植松の優生思想がいかに「中二病」的妄想に満ちていたとしても、あなどることはできません。それが多くの人に信奉されたとき、現実を悪い方向に変える力にもなるからです。

拘置所でいっそう先鋭化する妄想

雨宮　相模原事件の公判の傍聴に通って、拘置所の植松と面会もして思ったことですが、裁判の間、彼はある意味ですごく充実していたと思うんです。変な言い方に聞こえるかもしれませんが……。
　というのも、公判中は毎日のように、彼に面会して話を聞こうとするマスメディアが何人も拘置所で待っていました。「今日は植松が自分たちを選んでくれるかな？」と期待しながら（弁護士以外の面会は一日一回と制限されている）。ある意味で、すごい人気者だったわけです。

しかも、面会に訪れる人の中には、テレビでよく見るような著名人も多いし。そういう状況だと、拘置所側もある意味で特別扱いみたいな感じになるだろうし、植松本人もそのことに舞い上がっていた面もあると思います。「楽しい」まではいかないとしても、事件前にやまゆり園で働いていたころよりは、充実感があったような気がします。

佐藤　おそらく、人生で最高のスポットライトを浴びていたような気分だったでしょうね。そして、そのことが「やっぱり俺のやったことは正しかったんだ。俺はヒーローなんだ」という歪んだ思い込みにもつながっていた部分があると思う。

雨宮　そうですよね。ただ、そう考えると、裁判が終わり、死刑判決が確定したいま、そういうスポットライトがパタッとなくなり、人と会えなくなったことで、彼はそれまでになかった深い孤独を感じているのかもしれない。そこから初めて、自分の起こした事件と向き合うための長い長い時間が始まる気がします。

佐藤　うーん……、そこが難しいところでね。というのも、拘置所という世界の中では、死刑囚はある意味でエリートなんです。

雨宮　えっ、そうなんですか⁉

佐藤　うん。死刑囚はほかの未決囚（刑事被告人）よりも処遇がいいんです。私も拘置所に五百十二日間もいたからよく知っています。たとえば、私たち（未決囚）が自費で購入できる飴《あめ》はカンロ飴だけなんだけど、死刑囚はそれに加えてライオネス・コーヒーキャンディも買えるんです（笑）。

　ささいなことに思えるかもしれないけど、拘置所の中ではすごく大きい違いなんですよ。飴を一種類しかなめられないか、二種類なめられるかはね。拘置所の中にいる人間は甘いものに飢えているから。

　あと、ビスケット類でも、未決囚は「しるこサンド」しか買えないんだけど、死刑が確定するとリッツクラッカーも買える。

雨宮　「しるこサンド」（笑）。食べたことないです。

佐藤　それと、未決囚は拘置所の部屋でテレビを一切見られないんだけど、死刑が確定すると見られる。しかも、週一回はＤＶＤも見られる。

雨宮　ああ、それは大きいですね。

佐藤　しかも、看守の対応も、確定死刑囚に対しては丁寧なんですよ。

そういう処遇の違いは、死刑囚の心理の安定のためにもうけられているんだけど、当の死刑囚たちにある種のエリート意識をもたらすと思う。未決囚たちに対して、「俺はお前らより一段上なんだ」と……。何しろ、外界から隔絶された空間ですからね。

雨宮　ということは、植松もあまり不満は感じていないのかもしれませんね。

佐藤　もちろん孤独感はあるだろうけど、自尊心はわりと満たされていると思う。彼は（二〇二〇年）四月に刑場のある東京拘置所に移送されたそうだけど、それまでの横浜拘置支所にいた間はとくにそうだったと思う。東京拘置所には死刑囚もたくさんいるけど、横浜では唯一の死刑囚だったと思うから。いわば〝その拘置所でただ一人のエリート〟なわけですよ。

雨宮　なるほど。

佐藤　植松が東京拘置所でどれくらい暮らすのかはわからないけど、その間、彼の思考はどんどん先鋭化していくと思います。私自身の体験から実感としてよくわかるんだけど、あそこは自分の思考がどんどんエスカレートして、先鋭化していく場所なんですよ。

雨宮　他者との接触がないからですか？

佐藤　そう。そこが刑務所とは違う。刑務所は共同生活ですが、植松は独房だと思うし、風呂もユニットバスにしか入れないし、隣室の囚人との「通声」（壁越しの会話）も禁じられているし……。そういう中にずっと一人でいて、本を読んだり、ノートに何か書き物をしたりしていると、まさに自分だけの世界になっていくんです。
「中世の修道院とか、上座部仏教の僧院で修行している人たちは、こんな感覚だったんだろうな」と思いました。自分の心の中の微細な思考までが、顕微鏡で見るようにクリアに見えるというか、ものすごく思考が鋭敏になるんです。

雨宮　そうなると、事件前からすでに妄想にとらわれていた植松の頭の中は、いまはさらにすごいことになっている可能性がありますね……。

佐藤　そうですね。刑務所だと懲役《ちょうえき》としての労働があるわけですが、拘置所にはそれもないし……。「請願作業」といって、拘置所の死刑囚が小銭を稼《かせ》ぐために舎房内で内職みたいな仕事をすることもあるんですが、おそらく植松はそれをしていないでしょう。

でも、差し入れは受けられるし、食べたい食品の購入はできます。もちろん、食事は三食出る。だから、生きていく上では何の不自由もない状態に置かれて、日がな一日、好きなことを考えていられるわけです。そうした日々の中で、植松はいま、自分の極端な思想をさらに先鋭化させているプロセスにいるんだと思う。

雨宮　うーん……。死刑が執行されるまでの間に、植松はどう変わっていくんでしょうか？　これまでのように自分のやったことを正当化するのではなく、犠牲になった人たちの死とちゃんと向き合ってほしいです。

第四章
貧困問題と政治の現場から

眼前の苦しんでいる人を見過ごせない

佐藤　私が雨宮さんと最初にお会いしたときのことが、強烈な印象になって残っているんです。そのとき、こんな話をされていました。「昨日、知らないネットカフェ難民の人から『お金が全然なくて、生きていくのが嫌になったから、いまから死にます』というメールが私のところに入ったんです。飛んで行って、じっくり話を聞いて、財布の中のお金を少しだけあげて帰ってきました」と。

雨宮　ああ、そうでしたっけ……。貧困問題に関わって十五年になりますが、そういうことはたまにあるので、私自身はあまりよく覚えていません。おそらくその人には支援団体を紹介したんだと思います。

佐藤　そのときも、淡々と話をされていました。「すごい人だなあ」と感動したんだけど、同時にこんなふうに思ったんです。

「この人が関わっている反貧困の運動は、市民運動・政治運動ではあるけれど、彼女自身はあまり政治的な人ではないような気がする。本質的には、むしろ宗教的マインドの人ではないだろうか。それに、『自分がこの国を変えるぞ！』という大上段に構えた感じではなくて、『いま目の前にすごく困っている人がいるから、見過ごせない。何かせずにはいられない』という思いでやっているのだろう」……直観的にそう思ったんですけど。

雨宮　自分が宗教的マインドかはわからないですが、そのご指摘は当たっていると思います。そもそも、ずっと運動をやってきても、社会や政治を変えられたという実感はあまりないんです。変えたいけど、変えられていない。

佐藤　いや、そんなことはないですよ。「目の前の一人を助ける」ことの積み重ねで、雨宮さんは十分社会を変えてきたと思います。

雨宮　うーん……。貧困問題が昔より少しは知られるようになったことくらいかな、自分で思う変化としては。

佐藤　いや、少しどころか大幅に知られるようになりましたよ。雨宮さんたちの運動は、いわゆる「自己責任論」に対する強力なカウンターパンチになっていると思う。結果的に十分社会を変えていますよ。

雨宮　そういう評価はありがたいです。

佐藤　あと、雨宮さんについて感じるもう一つのことは、けっして権力に取り込まれない人だということです。ただし、「権力側の人間とは口もききたくない」というような、頑迷《がんめい》な反権力ではない。むしろ、必要なら国家権力側の力も柔軟に利用して、困っている人を助けようとする。

「権力側とは口もききたくない」という単純な反権力はダメだと思うんです。それはあまりにも〝権力者性悪説〟に偏《かたよ》りすぎです。旧来的なマルクス主義が主流の時代には、「権力者は階級支配をしているから悪だ」という単純な決めつけがまかり通っていたけど、権力者にも、行政府側にもいろんな人がいますからね。

もちろん悪人もいるけど、善意の人もいるし、「社会を変えよう」という情熱を持っている人もいる。虚心坦懐《きょしんたんかい》にその人たちと話をしてみれば、「この人たちの力を借りたほうが社会は変えられる」ということがわかるはずなんです。

雨宮　本当にそうですね。だからこそ私も、一時期、厚生労働省ナショナルミニマム研究会委員とか、政府のさまざまな委員もお引き受けしていましたし、コロナ禍のいまは、政府交渉をして各省庁の人に住居確保給付金を延長してほしいとか、生活保護の要件を緩和《かんわ》してほしいとか、いろいろお伝えしています。

佐藤　普通、そう考えて権力側に接近していくと、いつの間にか権力側に取り込まれてしまうんですよ。権力システムの一員になってしまう。でも、雨宮さんにはそういうところがまったくない。権力側とは一定の距離を取り続けている。そこが私には面白くて、「この人はあくまでも〝社会の人〟であって、国家側の人じゃないんだな」と感じています。

雨宮　ああ、そうですね。私は権力側の人にはなりたくないし、なれないと思います。それはやっぱり、私が女性だからということもあると思う。一般化するのはよくないかもしれませんが、男性で社会的な活動をしている人の中に、ときどき、すごい権力欲を感じることがあります。

佐藤　権力への執着の男女差というのは、やっぱりあると思う。私がそのことを如実に感じたのは、自分が逮捕されたあとでしたね。外務省の中で私の味方になってくれた外交官たちは、みんな女性でしたから。

雨宮　えー、でもそれ、すごくわかります。やっぱり、男性は組織人になっちゃうんですよね。何かことが起きたら組織の側に立ってしまう。

佐藤　女性の場合は、組織の力をあまり恐れないんですね。当時、私を支援してくれた外務省の女性たちのうち、一人はいまの妻。もう一人は第一線から外されてしまい、あとの一人は弁護士になりました。

雨宮　外務省を辞めて弁護士に？

佐藤　そうです。「こんなところにいられるか！」と言って自分から退省して、そのあと司法試験に受かったんです。三人とも、私のことを真摯《しんし》に支援してくれて、ありがたかったですよ。イエス・キリストが十字架に架けられたときにも、男の弟子たちはみんな逃げてしまって、十字架の下で見守ったのは女性ばかりでした。私は、女性の外交官以外はみんな自分から逃げていったとき、「ああ、やっぱり聖書に書いてあることは正しい」と思いましたね。

雨宮　本当ですねえ。現代でも、権力の上のほうにはほぼ男性しかいないじゃないですか。

「生きているだけで価値がある」と伝えたい

佐藤　雨宮さんがずっと続けてきた、「眼前で苦しんでいる一人を助ける」ということ。その積み重ねがすごく大事なんだと思います。遠回りのように見えても、じつはそれこそが社会を変えるためのたしかな道ですよ。

雨宮　佐藤さんにそう言ってもらえると心強いです。

佐藤　私自身はずっと外務省で、「一人を助ける」というより、一国とかたくさんの人を相手に仕事をしてきました。でも、外務省を辞めてからは、もっとミクロな次元で社会に関わりたいという思いが強まってきたんです。それは、じつは雨宮さんの活動に刺激を受けた部分もある。

だから、前にも言ったように自立支援ホームの支援を続けているし、乳児院（事情があって家庭で養育できない一歳未満の乳児を養育する児童福祉施設）の訪問も続けています。あと、ある乳児院の支援活動も続けています。また、少年院を訪れたこともあります。

雨宮　それは、やっぱりキリスト教の関係で？

佐藤　いや、その乳児院は元々はキリスト教徒の女性が始めたんだけど、いまはほとんど関係がありません。私が乳児院に関わり始めたのも、所属教会を通じてではなく、個人的な活動です。

　関わり始めた最初のころは、施設側の人たちも私のことを警戒していましたね。「あなたは作家だから、どうせ、この施設をちょっとだけ覗《のぞ》いて、お涙ちょうだいの本でも書くつもりなんでしょう」という……。面と向かってそう言われたわけではないけど、警戒心が伝わってきました。施設側としては、自分たちの活動を世に知らしめたいという思いもあるけど、半面、偏見を拡大するような取り上げ方はしてほしくないという思いもあるのでしょう。

雨宮　じゃあ、本にする予定はないんですか？

佐藤　ない。もう五年くらいその乳児院と関わっているけど、そのことを本で明かすのはこれが初めてです。「絶対本には書かない」と決めているわけではないけれど、かりに一生書けなくても構わない。本を書くことが目的じゃないから。

雨宮　五年も関わってこられて、きっといろんなドラマがあるのでしょうし、本で読んでみたい気もしますけどね。

佐藤　この場を借りて少しだけ、印象に残っていることを紹介します。

その乳児院には、「ダミーの部屋」みたいなものがあるんです。普通の家族が１ＤＫのマンションで暮らしているような雰囲気で、家具などが配置された部屋。乳児院に入所している子たちのお母さんが、定期的にそこにやってきて、わが子を抱いて写真を撮るための部屋です。

雨宮　ああそうか。その子が大人になったあとのことを考えて写真を撮るんですね。

佐藤　そうです。将来、赤ちゃんのころの写真がまったくなかったら不自然だから。普通の家庭で育ったように偽装した履歴を作るための部屋なんです。

雨宮　そういう配慮があること、初めて知りました。

佐藤　あと、その乳児院の入り口のところには、椅子が一つだけ置いてあるんです。何のためかわかります？

雨宮　え、なんだろう。

佐藤　親に虐待《ぎゃくたい》されたとか、親が薬物依存症で入所した場合、親がわが子を探してその乳児院に来ても、会わせないし、そもそもその子がそこにいると教えてもいけないんです。また、乳児院の中に入れることもできない。

　それでも、あきらめきれずにそこにずっと立って待っているお母さんもいるんです。そういう場合、中には入れられないけど、せめて座っていてもらおうということで、椅子が置いてあるんです。

雨宮　なるほど。

佐藤　ちなみに、私が訪問した少年院は犯罪傾向があまり進んでいないところだけど、そこの所長さんによると、もっと犯罪傾向が進んだ子を収容する特別少年院の場合、女子は殺人が多いそうです。

雨宮　ああ、自分の子どもを……。

佐藤　そうです。殺人といっても、ほとんどはわが子を殺してしまったケースだそうです。私は乳児院に関わり始めてから、マスコミで報じられる児童虐待致死《ちし》事件が身近に感じられるようになりました。乳児院にいる子たちの中には、一歩間違えれば亡くなっていたかもしれない事例もあります。

雨宮　乳児院と少年院に両方関わっていると、連続性も見えてきますよね。

佐藤　そうですね。いわゆる「虐待の連鎖」「貧困の連鎖」で、恵まれない環境に置かれた人は成人してからもその貧しさから抜け出せないことが多いので。

ただ、少年院の環境はいいんですよ。規律正しいし、しっかりした食事は出るし、法務教官たちはあたたかく見守ってくれる。私が訪問した少年院でも、院で勉強して高卒認定試験に通った人が何人もいましたね。

問題は少年院から出たあとです。再び親に虐待されたり、女子の場合は行き場がないから悪い男に引っかかってしまったり……。

雨宮　そうか。二十歳とかで出なくちゃいけないんですね。

佐藤　ええ。制度上、二十三歳未満の人を収容します。外に出てからまた犯罪に走って、次はもっと犯罪傾向の進んだ子たちが入る少年院あるいは刑務所に入れられてしまうケースもある。

雨宮　貧困問題に関わっているとしみじみ思うことですが、若者たちは社会に出るときのスタートラインからして全然違うんですよね。同じように大学を出ても、奨学金で数百万の借金を背負ってスタートする子もいれば、何も背負っていない子もいる。「親に虐待されて中卒で……」と、手持ちのカード一枚もないような状態で社会に出る子もいる。

佐藤　それは私も思います。とくに私の場合、仕事で進学校の子たちとも付き合いがありますからね。『16歳のデモクラシー』（晶文社）という私の著書にまとめた、川口北高校での集中講義で出会った生徒たちとか、灘《なだ》高の生徒、母校の浦和高校の後輩たちとか。この生徒たちは偏差値でいうと上位に属します。

一方では高校に行くことすらできなかった子どもたちとも接しています。年齢的には同じくらいでも、何という格差だろうと思いますね。

だから、超難関校の生徒たちと話をするときにはよく言うんです。「君たちはすごく恵まれた立場にいる。いまの立場があたりまえと思ってはいけないし、恵まれた立場で得た力で、将来、恵まれない人たちのために尽力する義務があるんだよ」と……。
そもそも、児童養護施設の制度上の問題で、全日制の高校に行かないと施設から出されてしまうんですね。全日制の高校を中退したり、定時制に行く場合には「自活しろ」と言われるわけ。でも、中卒資格しかない十六歳くらいの少年少女に、就職口なんてほとんどないんですよ。

雨宮　もう絶対無理だと思います。私も養護施設出身の若者とよく関わりますけど、未成年で親がいないと、携帯電話すら持てないという問題もあります。保証人がいないから契約できないというケースです。
いまどき、携帯も持てなかったらアルバイトさえできないわけです。養護施設の職員や施設長が携帯契約の保証人になってくれるところもありますが、なってくれないところもあるようです。

佐藤　そういう具体的な問題を、一つ一つ解決していくのが支援ですよね。あと、児童養護施設を支援する周囲の人たちが、大学進学を煽《あお》りすぎる面があるということ。

雨宮　本人のためを思って言っていることなんでしょうけど……。

佐藤　児童養護施設出身で、頑張って大学まで行った人も、もちろんたくさんいるでしょう。でも、適性の違いもあるわけだから、みんながそこを目指す必要はないと思うんです。

　周囲が「こうすれば大学に行けるよ」と煽りすぎると、大学に行けなかったら挫折《ざせつ》感を味わうことになってしまう。もちろん、本人が内発的に「大学に行きたい」と思っているのなら、それをサポートすべきだけど、子どもたちにまず必要なのはそれよりもっと前の段階の支援だと思う。「ありのままの自分でもいいんだ」と思えるような、「君は生きているだけですごい価値があるんだよ」と教えてあげる支援です。

雨宮　同感です。日本の若い世代の人は総じて自己肯定感が低いと言われますけど、虐待の経験があったりすると、さらに自己肯定感が低くなります。だから、自己肯定感をいかに持たせてあげられるかということが、支援の第一歩ですよね。そこをすっ飛ばしていきなり「大学に行け」と言われても、本末転倒な感じがします。

佐藤　自己肯定感の低さは、貧困支援の現場でも感じますか？

雨宮　ものすごく感じます。たとえば、年末年始というのは、「初ホームレス」――つまり、それまでは何とか屋根の下で暮らしていたのにホームレスになってしまう人が増える時期なんですね。年末年始は仕事がなくなるので、それまでネットカフェに何とか泊まれていた人も、それすらできなくなってしまい、ホームレスになるケースが一気に増えるんです。

佐藤　ああ、だから年越し派遣村とかをやってきたわけだ。

雨宮　そうです。私も毎年、年末年始は炊き出し支援に関わりますけど、そこに並ぶ人の多くは、パッと見はまったく普通の人々です。中にはスーツを着て並んでいる人もいます。でも、よく見ると大きなスーツケースを持っていたりして。

そういう人たちと話をしてみると、「どうしてそこまで？」と思うくらい、自分を責めたり卑下《ひげ》したりするんです。「全部自分の責任ですから」とか、「しっかり勉強してこなかった自分が悪いんで」とか……。たぶん、それまでいろんな場面で人からなじられてきて、防衛として自分からそう言うようになってしまったんだと思います。そんな状態の人の何が危険かというと、自己否定にまみれていると「助けを求める」

ことができない点です。一方、「政治が悪い。社会が悪い。俺のせいじゃない」と言う人は皆無に近いんですよ。

私は誰かに「助けて」と言うには、最低限、二つのハードルをクリアしている必要があると思います。まずは、社会や他人への信頼。助けてと言って貧しいことがバレても、貧困ビジネスのカモにされるなどひどい目に遭わないし責められないという信頼感ですね。もう一つは、自分は助けられるに値する、生きていてもいい人間だという自己肯定感。だけど貧困は、この二つを容赦《ようしゃ》なく奪い去っていきます。

佐藤　それは、いわゆる「自己責任論」がそこまで定着してしまったということだろうけど、そういう人たちに自己肯定感を持たせるというのは並大抵のことではないですね。

雨宮　本当に。生きることは無条件に肯定されるということが、社会の大前提であるべきだと思いますが、いまの社会のありようがそうなっていない気がします。

たとえば、メディアの報道のありようを見ても、「ただ生きているだけでは価値がない」という意識が底にあるように思います。少子高齢化の問題をテレビが報じるときには、「高齢者の医療費が莫大《ばくだい》になっていて大変だ」ということばかりが強調されて、寝たきりの高齢者の映像が顔にモザイクかけられて流れたりするじゃないですか？ 「働けなくなったら無価値なんだ、社会のお荷物なんだ」という、言葉にしないイメージ操作がそこにはある気がします。あれ、何とかしてほしいです。

佐藤 「生きているだけで価値がある」という価値観を社会全体で共有するためには、マスメディアの人たちや有識者たちの価値観から変えていかないといけないのかもしれませんね。いつの間にかみんなが、「生きているだけでは価値がない」という偏見に染まってしまっている。

雨宮 そうですね。「人間は生きているだけで価値がある」ということを、たとえばツイッターなどで書いたとしたら、「お花畑」とか「現実見えてない」とか、そういう冷笑の言葉がたくさん飛んでくると思うんです。

それは一つには、「自分が大切にされた」という幸福な経験を持った人が少ないせいだと思います。現在進行形でも、ひどい働かされ方の中にいたりして、「別にお前なんか死んでもいい」という扱いを受けている人も多い。自分が大切にされていないと、命が大切だという言説すら、きれいごとに見える。だから、偽善的に思えてしまう。

佐藤　「大切にされた経験が乏しい」というのは、そのとおりだと思います。

食生活の格差と医療格差

佐藤　「大切にされた経験がない」ということと少し関係するかもしれないけど、私は、いまの非正規労働者の食生活の貧しさに衝撃を受けました。雨宮さんに推薦されて見た、『遭難フリーター』という映画（当時二十三歳の岩淵弘樹氏が、キヤノンの工場で派遣社員として働く自分自身を撮影したドキュメンタリー。二〇〇六年。雨宮がアドバイザーを務めた）で……。菓子パンだけとか、カップラーメンだけとか。

雨宮　あの映画を見た佐藤さんが、「東京拘置所のほうがはるかに食事がいい」とコメントされたことはよく覚えています。

佐藤　監督の岩淵弘樹さんが映画の舞台裏も含めて文章化した、同題の著作がありますね（幻冬舎アウトロー文庫）。そこから引用してみます。

「毎日の昼飯で定番となっているのが、ご飯、さんまの蒲焼《かばや》きの缶詰め、食堂で無料のたくあん。米と缶詰めは母親から送ってもらったものなので、実質〇円」……いつもこんな感じの食生活なわけです。

雨宮　東京拘置所の食事って、どんな感じなんですか？

佐藤　私が逮捕された最初の日の食事をいまでも覚えているけど、麦三割のご飯と、チンジャオロースと中華スープとザーサイだった。

雨宮　えっ、いいじゃないですか～（笑）。

佐藤　メニューがスパゲティだったら、サラダとドレッシングとイタリアンスープ、ベーコンがついたり……。

雨宮　なるほど、それはたしかに「拘置所の食事のほうがいい」ですね。

佐藤　しかも、土日はだいたい甘いものが出ます。土曜の昼は必ず焼きたてのコッペパンが出ました。マーガリンとジャムがついて。メインはシチューで、うずら豆を煮たのとか、小豆のお汁粉《しるこ》とかが出る。週に一回だけパン食なので、すごい楽しみでした。

お正月にはおせち料理が出るし、クリスマスにはケーキ、バレンタインデーにはチョコまで出ます（笑）。

雨宮　季節感、イベント感がある（笑）。

佐藤　そうです。でも、東京拘置所の食事は、一人当たり一日分二百四十円ぐらいの低予算で作っているんです。

雨宮　一日？　一食じゃなくて？

佐藤　一日。囚人労働で作るから人件費はいらなくて、食材費だけだから。おせち料理とかケーキは、普段の食費を節約した分を回すんでしょうね。そういう特殊事情はあるにせよ、工夫次第で一日二百四十円でも結構まともな食事ができる。『遭難フリーター』の食生活はそれよりもはるかに劣悪だったので、衝撃を受けたわけです。

雨宮　やはり収入が少ないと、どうしても食生活も貧しくなる。とくに寮を転々としているような生活だと、調理器具もあまり持てないですからね。それが路上になると、いっそう厳しいです。

たとえば、一昨年の年末、池袋の炊き出しで配食を手伝いました。ちゃんこ鍋をご飯にかけて配ったんですが、最後にご飯だけ余ったんですね。それで、希望する人にご飯だけを配ったんです。パックにご飯を入れて……。そうしたら、そこにも長い行列ができました。

「明日の朝食にします」と言っている人もいましたけど、年末に野外だからご飯はもう冷え切っているんです。しかも、並んだ人の多くは路上生活だから、電子レンジなんかもちろんない。「大みそかの朝に、冷え切った炊き出しのご飯を、おかずも何もなしで食べるのか」と思ったら、胸が痛みましたね。

佐藤　その一方では、富裕層とまでは言えなくても、優雅な年末年始を過ごしている人がたくさんいます。年末年始には、一流ホテルのレストランは予約でいっぱいで、飛び込みでは入れないくらいですから。

雨宮　クリスマスだけじゃなくて、年末年始も？

佐藤　そうです。比較的富裕な中産階級が、「おせち料理の準備は面倒くさいし、ちょっと違う感じのお正月も味わいたい」ということで、一流ホテルに泊まって過ごしたりするわけです。だから、ホテルもいっぱい。日本が昔より貧しくなったとはいえ、世帯収入で三千万円くらいの「中流の上」くらいの人は増えていると思います。

雨宮　へえ……。そんな世界があるんですね。

ほかの深刻な格差としては、医療格差もありますね。二〇一五年、「最低賃金千五百円」を目標に掲げる若者たちによって「エキタス（AEQUITAS）」というグループが結成されました。そのグループが、ツイッター上で「最低賃金が千五百円に上がったら、あなたは何をしたいですか？」と問うアンケートを取ったことがあるんです。その結果、いちばん多かった回答は「病院に行きたい」でした。「遊びたい」とか「旅行へ行きたい」とかではなく……。

佐藤　ああ、それはそうでしょうね。

雨宮　私自身が安月給のフリーターだったころを思い出しても、たしかに病院には行きにくかったですね。払うお金がいくらになるのかわからない怖さがあるので。治療費・診療費が高くついたら、もう家賃滞納して電気も止まるかもしれない、と……。そういうギリギリの状態だったから、病院に行くのはいちばん後回しになっていました。

佐藤　健康保険に入っていればまだしもだけど、入っていなかったら全額負担になりますからね。なおさら病院には行きにくい。しかも、勇気を出して病院に行っても、保険がなければ診療拒否を受けることもあり得る。病院は治療費の取りっぱぐれを非常に警戒しますからね。かりに治療してくれたとしても、「保険がないならまず預り金を出してくれ」とか「保証人を立ててくれ」とか言われることもある。そうなると、貧困層にはハードルが高くて、とても病院には行けない。

雨宮　収入が低いゆえに、高カロリー

最低賃金1500円を訴えたエキタスのデモ（2017年4月）©Rodrigo Reyes Marin/アフロ

低栄養の食事に偏りがちなのに、病院すらなかなか行けないとなると、確実に寿命の差も出てきそうです。

佐藤　そういう暮らしの中で、「あなたは生きているだけですごい価値があるんです」と言われても、実感するのはなかなか難しいでしょうね。

貧困者が貧困者を叩く不思議

雨宮　「最低賃金千五百円」がかりに実現して、フルで働いたとしても年収は二百七十万円くらいなんですね。三百万には届かない。そう考えると、現状の最低賃金がいかに低いかがわかります。

佐藤　いまは東京で最低賃金が千十三円ですね。

雨宮　ええ。全国平均は九百二円。それで一日八時間、月二十日働いて十四万ちょっとですから、年収にして百七十万円くらい。二百万にも届かない。いわゆるワーキングプアです。

佐藤　経団連傘下の大企業の経営者は、「最低賃金千五百円にするのはやむを得ないし、それでやっていける」とすでに考えていると思う。問題は経営基盤の弱い中小企業で、「千五百円どころか、千三百円でもやっていけない」と考えている経営者が多いはずです。

雨宮　「エキタス」は、「中小企業に税金を回して支援しろ」という主張も同時にしています。そうであれば中小企業経営者も受け入れてくれるのではないか、ということで。

　海外でも、最低賃金を上げる場合には中小企業への支援がセットになることが多いそうですね。

佐藤　「最低賃金を上げろ」という主張に対して、「財源はどうするんだ」と言う人がよくいるけど、それはおかしい。

　というのも、いまの最低賃金では日本国憲法二十五条に保障された「健康で文化的な最低限度の生活」が成り立たないから上げてくれと言っているだけであって、「異常な状態を正常に戻せ」と要求するのは国民の当然の権利だからです。それは、雨宮さんの著書のタイトルにあるように、「生きさせろ！」という当然の要求にすぎない。そのときに、要求する側が財源の心配までする必要はないんです。国民の正当な要求を受け止めて、財源の問題を含めてきちんと制度設計をするのは政治家と官僚の仕事だから。

雨宮　そうですね。それにしても、「財源はどうするんだ？」という声もそうですけど、「政策を批判するなら対案を出せ」「対案がないなら主張するな」と言われるようになったのは、いつごろからなんでしょうね？

佐藤　それは新自由主義的な主張に付き物の論法だから、日本だけに限らない世界的な傾向だと思います。

一般的には、小泉（純一郎）政権が新自由主義的な改革を始めたあたりからだと思われているでしょう。でも、むしろ私は橋本（龍太郎）政権あたりからだと思う。さらに遡《さかのぼ》れば、中曽根（康弘）政権のころから、すでにそういう傾向はあったと思う。それくらい根の深い現象ですよ。

雨宮　なるほど。あと、私が不思議に思うのは、「財源はどうするんだ？」とか批判的なことを言う人の中に、貧困層も多いことです。たとえば、エキタスは「最低賃金千五百円に」というデモを開催してきましたが、「最低賃金を千五百円にしたら、中小企業がみんな倒産する」「バイトがそれだけの働きをするとは思えない」と文句をつけてくる人がいるんです。そういう人に話を聞いてみたら、じつは当人が最低賃金で働いているフリーターだったりします。

自分が貧しいのに、なぜ労働者目線ではなく、経営者目線で世界を見ているのか？本当に不思議になります。

佐藤　昔、「一億総中流」という言葉があったじゃないですか。一九七〇年ごろ、世論調査で「自分は中流だと思う」と答えた人が九割を超えたという。実際には九割以上が中流であることはあり得ないから、その何割かは「自分は中流だ」という幻想を抱いていたわけです。そういう幻想を抱くことで自分を慰撫《いぶ》して安心するというか。人間には高度な表象能力（実際にはないものをイメージする能力）があるから、そういうことができるわけです。

同じことがいま起きていて、本当は貧困層なのに「自分は貧困層ではない」という幻想を抱いている人が多いんでしょうね。

雨宮　ああ、そう考えるとつじつまが合いますね。

佐藤　それは昔からある現象です。たとえば、マルクスは『ルイ・ボナパルトのブリュメール18日』という著作の中で、フランス第二共和政の時代に起きたよく似た現象を分析しています。

　ナポレオンの甥《おい》であるルイ・ボナパルトが、初の普通選挙で「自分が当選したら強いフランスを作る」と主張して貧しい大衆の支持を集め、大統領に当選したんだけど、その後に議会を廃止して、「ナポレオン三世」を名乗る皇帝になってしまった。その結果、選挙で彼を支持した貧しい大衆は、さらに苦境に追い込まれてしまった……そういう現象です。マルクスはそれを「ボナパルティズム」と名づけました。

雨宮　前アメリカ大統領のドナルド・トランプが、貧しい白人層の支持を集めて大統領になったのに、彼らのためになる政策はあまりやらなかったことと似ていますね。

佐藤　そうですね。トランプ現象を「ボナパルティズム」になぞらえて分析した人もいます。

雨宮　そういえば、誰かが指摘していたんですが、貧困層の人たちは、私とか、ほかの貧困問題に関わる活動家をツイッターでフォローしない傾向があるようです。では、その人たちが誰をフォローしているかといえば、堀江貴文さん（実業家・著作家。通称「ホリエモン」）とか前澤友作さん（実業家・起業家／株式会社ＺＯＺＯ創業者）のような、富裕層の自己責任論者なんです。

佐藤　つまり、その人たちは自分を貧困層だと思っていないというか、思いたくないわけですね。潜在的な富裕層側の人間だと思い込みたい。

雨宮　そうかもしれません。自分も頑張ればあっち側にいける、みたいな。富裕層なだけならまだしも、堀江さんは貧困層をバッシングすることもよくあるのに、貧困層で彼を支持している人は、それに怒るどころか快哉《かいさい》を叫んでいるわけですよ。その心理が私には不思議です。

佐藤　それは、実業家としての彼らを支持しているというより、一種の宗教的シンボルとして崇《あが》め奉《たてまつ》っている感じじゃないですか？　ある種の宗教現象ですよ。

私は、人間は宗教団体に所属していなくても、必ず自分なりの宗教を持っていると考えています。アーノルド・トインビー（英国の歴史家）が共産主義を一種の宗教と見做《みな》したように、特定の政治思想に心酔することも一種の宗教です。いわゆる「ネトウヨ」は、いびつな政治思想を信仰してしまっているわけです。

雨宮　なるほど。

佐藤　どんなに世俗的な人も、彼らなりの宗教を信仰しています。たとえば、学歴至上主義や拝金主義などという宗教です。ホリエモンや前澤さんの支持者たちは、彼らの生き方・考え方を信仰しているわけです。宗教であると考えれば、自分が貧困層でありながら、富裕層の自己責任論者を崇めることも不思議ではないわけです。もちろん、彼ら自身はそれが一種の宗教であることを意識していないでしょうが……。

　創価学会の第二代会長である戸田城聖氏が、『小説　人間革命』という作品を書いているんです。

雨宮　池田大作さんの『人間革命』とは別なんですか？

佐藤　別です。池田会長の『人間革命』よりも前に書かれた作品で、戦前の創価教育学会の歴史を元にしたフィクションです。貧困層の人たちが住んでいる長屋を舞台に、そこの住人たちが信仰でどう変わっていくかを描いています。根幹にあるのは、〝正しいものを信仰すれば生命力が強まり、間違ったものを信仰すると生命力が弱まる〟という考え方ですね。これは基本的にはいまの創価学会でも同じです。

何が言いたいかというと、それと同じで、出世教とか拝金教とか、そういう間違ったものを信仰して生きていると、だんだん生命力が弱ってくるということです。

雨宮　じゃあ、その間違った信仰を捨てさせないといけないわけですね。政治的に言えば「転向」ですか。それをさせるのはなかなか大変そうですが……。

佐藤　たとえば、エキタスのデモ中に雨宮さんが出会ったというその人は、たとえ批判的であったとしても、考えを変える可能性は十分あるでしょう。「いまの自分から変わりたい」という思いが、どこかにあるんだと思う。本当に凝《こ》り固まった考えの人は、他者と対話しようとさえしませんから。

そもそも、雨宮さん自身、かつては「ミニスカ右翼」だったわけじゃないですか。そこからいまの立場に変わったわけで。これは転向ではなく、思想の発展だと思うのです。

雨宮　そうですね（笑）。

佐藤　雨宮さんと、あとは古谷《ふるや》経衡《つねひら》さん（作家・評論家）。この二人は、右翼思想から出発し、それを脱構築して自らの思想的立場を築き上げた貴重な事例です。

雨宮　古谷さんの自伝的小説『愛国商売』（小学館文庫／単行本時のタイトルは『愛国奴』）に、佐藤さんが解説を寄せていらっしゃいましたけど、私も大変面白く読みました。

佐藤　ネトウヨの人たちがどのように生計を立てているか、そのカラクリが、古谷さん自身の体験に基づいて全部暴露《ばくろ》されていますからね。

雨宮　「あそこまで書いて、よくご無事で」と思いました。

佐藤　あの作品で古谷さんは、小説という体裁で自らの思想の発展の軌跡を辿《たど》っているわけですが、政治的転向というより宗教的回心に近いものを感じましたね。

　間違った考え方――彼の場合はネトウヨ思想――を捨てて人間として蘇生するためには、それまで拝んでいた、間違った信仰対象を自分で捨てないとダメなんですね。偶像を自分で破壊して、自分の足でそこから出て行く――そういう手順を踏まないと、きちんと蘇生できないんです。

雨宮　なるほど。

佐藤　さっき言った戸田城聖版の『小説　人間革命』にも、大変シンボリックな場面があります。いわゆる「キツネ憑《つ》き」状態になった長屋の住人を救うために、信仰していた「お稲荷《いなり》さん」を、「自分で捨てないとダメだ」と言って、当人に捨てさせる場面です。古谷さんの場合も、自分で間違いに気づいて自分で捨てたからよかったのだと思います。

　それと同じで、貧困層なのにホリエモンや前澤さんを崇めている人たちは、いつか自分でその偏りに気づかないといけないのです。

現場から政治を変えていくために

佐藤　さて、雨宮さんは、反貧困運動に広く関わるとともに、現場から政治をどう変えていくかということをずっと実践されてきた方でもあります。近年は、「れいわ新選組」のブレーンの一人としても活動をしてこられましたね。

雨宮　ブレーンというか、れいわ新選組代表の山本太郎さんとは、彼が衆院選に立候補した二〇一二年末の少し前に、脱原発のイベントで初めて会いました。脱原発と主張したことによって仕事を干された直後のことです。同世代ということもあり、脱原発への強い思いに共感するところもあって最初の選挙を応援し、二度目の選挙で当選してからは貧困問題についてレクチャーさせていただいたり、専門家を紹介したり、炊き出しの現場を案内したり……さまざまな形で共闘してきました。

佐藤　ただ、雨宮さんには好き嫌いはあっても偏見はないから、ほかの政党の人とも柔軟に共闘できるんですよね。

雨宮　そうですね。これまでもいろいろな政党の方と交流したり、貧困問題についてお話しさせていただく機会がありました。公明党の方とは直接交流はありませんが、二〇一五年ごろ、生活保護世帯の子どもの進学などについての国会の議論で、山本太郎さんの質問作りの手伝いをしました。その問題が公明党議員によって最終的に大きく改善の方向に向かったことがありました。それは貧困問題に関わる人たちにとって非常に大きな出来事でした。

また、一昨年（二〇一九年）七月の参院選で、れいわは比例特定枠で重度障害者二人を国会に送り出しました。筋萎縮性側索硬化症《きんいしゅくせいそくさくこうかしょう》（ALS）患者の舩後靖彦《ふなごやすひこ》さんと、脳性まひなどがある木村英子《えいこ》さんです。その木村さんの質問をめぐって、公明党の「本気」を感じたことがあります。

佐藤　どういう出来事ですか？

雨宮　国会議員はそれぞれ委員会に所属しますが、舩後さんは文教科学委員会、木村さんが国土交通委員会に入ったんです。そこで、公明党の赤羽《あかば》（一嘉《かずよし》）国土交通大臣の対応が非常に迅速でした。

木村さんは、障害者に関する政策を少しでも前進させたいという思いで頑張っているので、質問のたびに障害者施策について取り上げているんです。すると、赤羽大臣が迅速に対応してくれて、そのおかげで国交省管轄《かんかつ》の分野でのバリアフリー化が急速に進んでいるんです。

たとえば、一回目の質問では多目的トイレのことを取り上げたんですが、赤羽さんがすぐに動いてくれました。二回目は新幹線のバリアフリー化について取り上げたんですが、そのときも赤羽さんはＪＲに大臣として改善の申し入れもして、「新幹線のバリアフリー対策検討会」を作って……と、わずか二、三日のうちにどんどん動いてくれました。その速さがすごいので、「ああ、赤羽大臣は本気で変えようとしてくれているんだ」と感動しました。

佐藤　新幹線のバリアフリー化とは、たとえばどういうことですか？

雨宮　一般の人は新幹線のチケットは当日でも買えるのに、車椅子スペースだと予約が前日までしかできないとか、車椅子スペースが圧倒的に少ないこととか。同じ料金を払っているのに、車椅子の人は仕方なくデッキ部分に乗ることもあるそうです。デッキって、ほかの人がたくさん通るし、そこに三時間とかいるのはつらいじゃないですか？　私も、木村さんに指摘されるまでそういう実態を知らなかったんです。逆に言えば、重度障害者の木村さんが議員になったからこそ世に知られた問題なんですね。

佐藤　それはいい話ですね。率直に言えば、れいわは自民党と対決姿勢を示している政党だし、一九年の参院選では東京選挙区で山口那津男《なつお》さん（公明党代表）に刺客を送るような候補を立てたわけですね。赤羽大臣としては、「れいわ議員の質問など相手にせず、適当にあしらおう」という姿勢を示すこともできたはずです。

　でも、彼はそうしなかった。それは赤羽大臣の人間性もあるでしょうが、それ以前にまず、公明党が「価値観政党」であるからこそだと思います。

　言うまでもなく、公明党は創価学会の池田ＳＧＩ会長が創立した党です。だからこそ、池田会長の「人間主義」の哲学が、公明党の政治姿勢にも一貫して流れ通っています。障害者行政を前進させることに前向きであることも、その一つのあらわれにほかなりません。

　池田会長には、「一番苦しんだ人が、

新幹線のバリアフリー対策に関する検討会。右端は赤羽国交相（2019年12月）
ⓒ共同通信社

一番幸せになる権利がある」という名高い言葉があります。その精神を公明党議員たちは受け継いでいるし、「福祉の党」と言われるとおり、障害者福祉にも一貫して熱心でした。公明党の赤羽さんが大臣を務める委員会に木村さんが所属したことは、よい巡り合わせだったと思います。

雨宮　そうですね。木村さんは参議院議員になってからわずか半年くらいの間にした四回の質問のうち、二回の質問で現実の障害者行政を大きく動かすことができました。それは議員としての彼女にとってだけでなく、障害者運動にとっても大きなことだったと思います。

　れいわから送り出したもう一人の障害者議員である舩後さんも頑張っています。障害がある学生の教育実習中の支援について国会で質問し、そのことによって文科省から大学や教育委員会に通知が出ました。このことも大きな前進だと思います。ただ、彼が所属している文教科学委員会の長——自民党の大臣ですが——は、舩後さんに優しい言葉をかけてはくれるそうですが、具体的に舩後さんの提案を受けて積極的に動いてくれるかといったら、そうではないようです。比べるのはよくないかもしれませんが、「大臣によって、こんなにも動きに差が出るんだ」ということも感じました。

佐藤　まあ、官庁というのはある意味で「大臣のもの」ですからね。大臣の動き方次第で大きく前進もするし、停滞もするものですよ。

雨宮　赤羽さんの迅速な対応を見て、「大臣の裁量一つで、こんなに社会は変わるんだ。閣僚にはすごい力があるんだ」とも感じましたね。

佐藤　だから私は、れいわ新選組には公明党とあまり敵対してほしくないんです。二つの党が共闘できる部分は、障害者行政に限らずさまざまあると思います。また、雨宮さんの「眼前の苦しんでいる人を見過ごせない」という心情と、公明党議員たちの姿勢には合致する部分もあると思います。

　一昨年の参院選で、れいわが東京選挙区に「沖縄創価学会壮年部」を名乗る野原善《よし》正《まさ》氏を候補として立てたことは、率直に言って悪手だったと思います。それは、私がよく言う信仰の「主語問題」に抵触する行為なんですよ。

雨宮　「主語問題」って？

佐藤　もちろん、創価学会員であっても、公明党を支持しない自由もあれば、他党の候補として出馬する自由もあります。だから、野原氏が「自分は創価学会員だが、公明党の政策に賛成できない」と言う分には、誰も文句を言わないですよ。主語が「自分」だから、一個人の意見ですから。

ただ、それが「いまの公明党の政策は池田先生の教えに反している」という言い方になってしまうと、これは主語が「池田先生」になってしまうから、越権行為なんですよ。信仰の根幹部分に踏み込んで、自分の意見を池田会長の意見にすり替えて語ることになるからです。私のようなキリスト教徒でも、政治問題について私がイエス・キリストは○○党を支援しないというような発言をしたら、それはキリストの名前を誤使用したことになります。

野原さんに対して、そういう「信仰者としての越権行為」を感じ取ったからこそ、東京の創価学会員は本気になったんだと思います。だからこそ、山口さんの得票は前回選挙よりも増えた。そして、全国の学会員にれいわに対する敵愾心《てきがいしん》を植え付けてしまった。大失敗だったと思います。

雨宮　そうかもしれません。野原さんはその後れいわを離党してしまいましたけど。

佐藤　たぶん、れいわ側としては「公明党支持層に食い込めるチャンスだ」くらいに軽く考えていたのでしょうが、宗教者の心の大切な部分に踏み込む鈍感な行為であったことは、指摘しておきたいです。

私自身、著書の内容を批判されるのは一向に構わないけど、キリスト教徒としての信仰を揶揄《やゆ》されたらすごく嫌ですから。

例を挙げると、鈴木宗男事件が国会で取り上げられたとき、ある民主党議員（当時）が、国会中継が入る時間帯に私のことを揶揄したんです。「この佐藤という人は神学校を出ているから、牧師ですか。怪僧ならぬ怪牧師ですねえ」と……。

私が当時「外務省のラスプーチン」と呼ばれていたことから、「怪僧ラスプーチン」をもじってそう言ったわけですね。その発言を私は国会のテレビ中継で聞いていましたけど、すごく悲しかったし、くやしい思いをしました。いまだにその気持ちは忘れません。

ああいう発言は、ヨーロッパの議会だったらあり得ないし、もしあったら懲罰《ちょうばつ》対象だと思います。人の信仰に土足で踏み込んで嘲笑《あざわら》う行為だからです。信仰とはそういうもので、れいわの人たちはその点に鈍感だったと思います。
　その点に気をつけた上で、れいわ新選組が今後は公明党とも折に触れて共闘してくれるように願っています。

希望の萌芽を探して

佐藤　一章ではコロナ禍後の支援運動をめぐる大変な状況を伺いましたが、逆に、貧困問題の現場で、こんな希望の萌芽が見えてきたということはありませんか？

雨宮　しいて挙げるなら、コロナという危機に直面したことによって、助け合いが復権したかなということです。一部でのことかもしれませんが。たとえば二〇二〇年三月、コロナ禍が始まってすぐに「新型コロナ災害緊急アクション」を、貧困問題に取り組む三十以上の団体で立ち上げたことは最初にお話ししましたが、いまは四十以上の団体が参加しています。そうして支援者たちで現在までに千七百世帯以上に対応し、公的福祉につなぐまでの緊急の宿泊費や生活費を支給していてその額は五千万円を超えるわけですが、その原資は一般の人たちからの寄付金です。昨年三月、緊急ささえあい基金というのを立ち上げて寄付金を募集したところ、二〇二一年一月までに一億円以上が集まっています。おそらく、コロナによって貧困が誰にとっても他人事ではなくなったということもあるのかもしれません。

　私は二〇〇六年から貧困問題に関わり始め、今年で十五年になりますが、いま、支援活動をしている団体の中には、二十年以上前から活動してきた人たちもいます。

佐藤　二十年以上前からというと、「3・11」（東日本大震災）や「リーマン・ショック」（二〇〇八年）よりも前ですね。

雨宮　はい。バブル崩壊後、路上にホームレスの人が増えて支援活動を始めるようになったという人もいれば、一九九八年に日本の自殺者が一気に八千人以上増えて、三万人の大台を超えたことで社会の問題を深刻に考えるようになったという人もいます。

佐藤　あのときは、前年の秋に北海道拓殖銀行や三洋証券が破綻《はたん》し、山一証券も廃業するなど、経済状況の悪化があったんでしたね。

雨宮　そうです。完全失業率が四パーセント台になって、企業の倒産件数も跳《は》ね上がって、経済の悪化に引きずられるように自殺も急増したんです。それをきっかけに、自殺対策の運動とか、活動を始めた人もたくさんいます。九八年の自殺者急増が第一波だとすると、次がその十年後のリーマン・ショック。その次が「3・11」です。大きな災害や経済事件が起きるたびに、「この状況を何とかしないと」ということで、支援者たちが力を合わせる機会が増えていきました。

そういう積み重ねがあったからこそ、年越し派遣村もできたし、コロナ禍での共闘も成り立っているんです。とくに、災害の被災者支援とホームレス支援には、家も何もかも失っているという点で似ているところも多いので、被災者支援の経験はホームレス支援にも生かすことができます。

コロナ禍で、二〇二〇年四月から二カ月ごとに電話相談会をしていますが、それも派遣村のころからの付き合いがあるからこそできています。全国の弁護士、司法書士、社会福祉士、労働組合、貧困問題の活動家・支援者が集まって、みんなボランティアでやっています。

そういうネットワークが、コロナ禍でも生きていることが心強いし、みんな長く活動してきたからこそ経験値も上がっている。コロナ禍では公的制度の運用がコロコロ変わっているので、みんなで勉強しながらマニュアルをアップデートしています。

佐藤　コロナ禍が長引いて、支援の現場も大変かと思いますが……。

雨宮　疲弊《ひへい》はありますけど、いま支援の現場でみんなが言い合っていることは、「九八年の悲劇を絶対にくり返してはいけない」ということです。国内の年間自殺者は、この十年ほど減り続けてきました。三万人を超えていたものが、一昨年（二〇一九年）年には二万百六十九人になって、ピーク時の三分の二にまで減っていたんです。それが、コロナ禍に入った昨年の七月からは、自殺者が毎月前年を上回っています。その自殺者を何とか減らしたい、九八年に戻してはならないという思いがあります。

佐藤　私がいまの状況から希望の萌芽を探すとすれば、コロナ禍の真っただ中にあっても、やっぱり世界は少しずつよい方向に向かっている、ということでしょうか。

　人はとかく、未来に対して悲観的になりやすいものです。しかし、ここ二、三年、各国の賢者たちが、相次いで「冷静に見れば、世界はよい方向に向かっている」と指摘する著作を出しました。

ベストセラーになった『FACTFULNESS（ファクトフルネス）』（ハンス・ロスリングほか／日経BP）はまさにそういう本だったし、スティーブン・ピンカー（米国の心理学者）の『21世紀の啓蒙』（草思社）も、ユヴァル・ノア・ハラリの『ホモ・デウス』（河出書房新社）も、広い意味では未来への希望を語る本でした。

世界は少しずつよくなっている――そのことは、コロナ禍真っただ中のいまも基本的には変わっていないと思います。コロナによる死者は増えているけど、百年前のスペイン風邪では世界で四千万人から一億人が亡くなったといわれているから、それに比べれば、人類はパンデミックの被害をかなり抑え込んでいるのです。私たちは渦中にいるからそのことが見えにくいけど、大局的にはやはり世界はよい方向に進んでいるんですよ。

しかも、ハラリが言うように、人類は飢餓《きが》と戦争はほぼ克服していて、局地的な戦争はあっても、二度の世界大戦のようなことはおそらくもう起きない。その意味で、人類の未来はコロナ禍のいまも希望に満ちているんですよ。根拠のない楽観は危険だけれど、逆に、いたずらに悲観的になる必要もない。そのことを指摘することも、私たちの仕事かもしれません。

雨宮　私も、コロナ禍が悪いことばかりもたらすものではなく、よい変化をもたらす面もあると思います。

たとえば、コロナ禍を乗り越える過程で、かつての「生活保護バッシング」のような傾向が薄れて、「困ったときは助けを求めてもいい」ということが共通認識になったらいいと思います。そして、「たとえ働けなくても、生きているだけで命には価値がある」という価値観が、以前よりも広がってくれたらいいと思うんです。そう願いつつ、今日も支援の現場に立っています。

（本書は、二〇二〇年一月から四回に分けて行われた対談をもとに構成したものです）

あとがき

雨宮処凛さんとの交遊は、もう十五年くらいになると思う。私が職業作家として、第二の人生を始めてから今年で十六年目になる。私が作家になってから比較的早い時期に雨宮さんと知り合った。ここ数年は、定期的に雨宮さん、山口二郎さん（法政大学教授、政治学者）、香山《かやま》リカさん（立教大学教授、精神科医）と年に数回、ランチを共にして、政治、経済、外交、社会などの問題について、意見交換をしている。四人の関心領域や政治的立場は、かなり異なる。異なるからこそ有益な意見交換ができる。

私は外務省で対ロシア外交とともにインテリジェンス（特殊情報＝諜報《ちょうほう》）分析に従事していた。インテリジェンスの世界には、コレクティブ・インテリジェンス（Collective Intelligence）、略してコリント（COLLINT）という分野がある。コレクティブ・インテリジェンスというとＡＩ（人工知能）との関係では、集合知や集団的知性という訳語があてられる。諜報分野では、協力諜報という用語が用いられる。情報機関同士で、互いに情報を交換したり、分析に関する意見交換を行ったりする。互いに弱い分野を補強することによって１＋１が２ではなく、３、４に膨《ふく》らむことがある。

現在の米ロ関係は東西冷戦終結後、最悪の状態にある。にもかかわらずＣＩＡ（米中央情報局）とＳＶＲ（ロシア対外諜報庁）は、コリントを継続している。日本も内閣情報調査室、外務省国際情報統括官組織などがＣＩＡ、ＳＩＳ（英秘密情報部、いわゆるＭＩ６）、モサド（イスラエル諜報特務庁）、ＳＶＲなどとコリントを行っている。もちろんコリントの実態は、マスメディアから隠されている。表面上、対立関係にある国であっても、インテリジェンス分野では良好な協力関係が維持されていることはよくある。

コリントに従事するインテリジェンス・オフィサー（情報担当官）をリエゾン（連絡担当官）と呼ぶ。私は、外務省の国際情報局に勤務しているとき、モサドとＳＶＲのリエゾンだった。リエゾンは絶対に嘘《うそ》を言わない。もちろん本当のことを全て言うことはできないが、嘘をつくことはない。また、事実の断片で、相手を誘導することもない。インテリジェンスには、秘密情報の収集、宣伝、謀略など、相手をだますさまざまな活動があるが、リエゾンは絶対にそのようなことに手を染めない。裏チャネルで嘘をつき合うようになると事態が極めて複雑になるからだ。

リエゾン同士で意見交換をするときには、いくつかの不文律がある。そのうち重要なのが、事実、認識、評価を区別して議論することだ。

事実に関しては、互いの立場が異なっていても、詰めていくことができる。自分が知らない事実を教えてもらうことによって、誤った分析を回避することができる。

認識が異なる場合、その原因は、お互いの立場や経験が異なる場合がほとんどだ。あるいは問題に対する切り口が異なっているために、認識がずれてくることもある。認識については、あえて共通見解を探る必要はない。

評価は、それぞれの人が置かれた立場、あるいは秘匿《ひとく》しなくてはならない情報から無視できない影響を受ける。だから評価について、リエゾン同士で争うようなことはしない。ある出来事について互いの評価がどのようなものであるかを伝えれば十分だ。

激しい利害対立に至る可能性が高い場合には、評価について伝えないこともある。

　このリエゾン業のときに培《つちか》った経験が職業作家になってから役に立った。私はコロナ禍《か》という緊急事態下では、民主的手続きによって選出された内閣総理大臣（首相）のもとに結集し、この難局に対処するのが筋と考える。ここで菅義偉《すがよしひで》という固有名詞にこだわるべきではない。民主社会における首相という機能が重要だ。与野党は一時的に政争を停止し、コロナ対策、感染防止とコロナによって経済的、社会的に打撃を受けた人の支援を政府は重点的に行うべきと考える。しかし、このような主張をする有識者は少ない。

　雨宮さんと私の政治的立場は異なると思う。じつを言うと、そういうことについてこみ入った話を雨宮さんとしたことはない（山口二郎さんや香山リカさんとは、互いの政治的立場について議論することが多い）。私が見るところ、雨宮さんは、政治よりも、人間に対する関心が強い。目の前で苦しんでいる人に寄り添って、できる限りの支援をすることだ。経済的な苦境にある人は、心も傷つけられていることも多い。そういう人と共にいることによって、雨宮さんは「とにかく生きなくちゃ。命を大切にしなくては」というメッセージを言葉と行動の双方で伝えている。

雨宮さんと初めて会ったころ、印象的な出来事があった。前日、ネットカフェに住んでいる人から（もちろん雨宮さんと面識はない）、お金がないのでもう死ぬしかないというメールが入った。雨宮さんは、その人を捜し当てて、数日間、生活できるお金を与えた。苦しい状況にあって、面識のない人が支援してくれたという事実が、その人に生きる希望を与えたと思う。このエピソードは、私に強い影響を与えた。自分の周囲で、苦しんでいる人に対して、自分ができる範囲で、具体的に何かするように私も心がけている。コロナ禍で厳しい状況に置かれている自立支援ホームの支援に力を入れている。中学校卒業後、全日制の高校に在学していない少年少女は児童養護施設に住むことができない。そのような人を受け入れる施設が自立支援ホームだ。

私はプロテスタントのキリスト教徒だ。イエス・キリストは、弟子たちにこう述べた。

「隣人を自分のように愛しなさい」（『マタイによる福音書』二十二章三十九節）

雨宮さんはキリスト教徒ではない。しかし、雨宮さんの発言と行動は、イエスの教えをそのまま実践している。生命を尊重し、人間主義の立場に立つことは世界宗教の特徴と思う。本書では、世界宗教に発展している創価学会が社会に果たす役割、創価学会を支持母体とする公明党の福祉やコロナ禍に対する取り組みについても掘り下げて議論することができた。

本書が社会の分断を克服し、人間だけでなくすべての動植物、地球生態系を含む生命尊重、人間主義によって、われわれが団結を強める一助になることを心の底から願っている。本対談に応じてくださった雨宮処凛さんに深甚《しんじん》なる敬意を表します。

二〇二一年四月二十日、曙橋（東京都新宿区）の自宅にて、

佐藤　優

著者プロフィール

雨宮処凛（あまみや・かりん）

1975年、北海道生まれ。作家・活動家。反貧困ネットワーク世話人。フリーターなどを経て、2000年、自伝的エッセイ『生き地獄天国』（太田出版、ちくま文庫所収）でデビュー。2006年から貧困・格差の問題に取り組み、『生きさせろ！　難民化する若者たち』（太田出版、ちくま文庫所収）でJCJ賞（日本ジャーナリスト会議賞）受賞。著書に『バンギャル　ア　ゴーゴー』（講談社文庫）、『「女子」という呪い』（集英社クリエイティブ）、『非正規・単身・アラフォー女子　「失われた世代」の絶望と希望』（光文社新書）、『ロスジェネのすべて――格差、貧困、「戦争論」』（編著／あけび書房）、『相模原事件・裁判傍聴記　「役に立ちたい」と「障害者ヘイト」のあいだ』（太田出版）、『コロナ禍、貧困の記録　2020年、この国の底が抜けた』（かもがわ出版）など多数。

著者プロフィール

佐藤 優（さとう・まさる）

1960年、東京都生まれ。同志社大学大学院神学研究科修了後、専門職員として外務省に入省。在ロシア日本大使館に勤務し、主任分析官として活躍。2002年、背任と偽計業務妨害容疑で逮捕、起訴され、09年6月執行猶予付有罪確定。13年6月執行猶予満了し、刑の言い渡しが効力を失った。著書に、大宅壮一ノンフィクション賞を受賞した『自壊する帝国』（新潮文庫）、毎日出版文化賞特別賞を受賞した『国家の罠』（新潮文庫）、『宗教改革の物語』（角川ソフィア文庫）、『池田大作研究』（朝日新聞出版）、『創価学会を語る』（松岡幹夫との共著／第三文明社）、『公明党　その真価を問う』（山口那津男との共著／潮出版社）など多数。第10回安吾賞、第68回菊池寛賞、第8回梅棹忠夫・山と探検文学賞受賞。

装　幀／株式会社藤原デザイン事務所
本文デザイン／安藤聡
写真撮影／稲治毅
写真提供／共同通信イメージズ、アフロ
編集協力／前原政之、杉浦五都子

この社会《しゃかい》の歪《ゆが》みと希望《きぼう》

2021年6月30日　初版第1刷発行

著　者　佐藤《さとう》 優《まさる》／雨宮《あまみや》処凛《かりん》
発行者　大島光明
発行所　株式会社　第三文明社
東京都新宿区新宿1-23-5　〒160-0022
電話番号　03（5269）7144（営業代表）
03（5269）7145（注文専用）
03（5269）7154（編集代表）
振替口座　00150-3-117823
URL　https://www.daisanbunmei.co.jp/
印刷・製本　図書印刷株式会社

ISBN 978-4-476-03399-1